Les
Tiers Mondes

Micheline Rousselet

Les
Tiers Mondes

Collection dirigée par
Jean-Claude Grimal et Olivier Mazel

Conception et réalisation des graphiques et des cartes :
Philippe Rekacewicz

Photocomposition et mise en page :
Atelier Ledoux, Bruxelles

Sommaire

■

Introduction

■

La notion de Tiers Monde a-t-elle encore une signification ?
On peut se le demander. En effet, le terme de Tiers Monde ne
recouvre pas une réalité géographique qui comprendrait
l'Afrique, l'Asie et l'Amérique latine, car certains pays situés
sur ces continents ne sont pas considérés comme des pays du
Tiers Monde : le Japon bien évidemment, mais aussi Israël et
l'Afrique du Sud. Ce n'est pas non plus une notion purement
économique. En principe, les pays du Tiers Monde sont des
pays pauvres, mais il y a en Europe des pays comme le
Portugal ou la Grèce, ou des régions telle la Sicile, qui ont
encore des caractéristiques de pays en développement sans
pour autant appartenir au Tiers Monde. Inversement, des pays
comme l'Arabie Saoudite ou Singapour sont riches et conti-
nuent à être classés parmi les pays du Tiers Monde. Ce n'est
plus, enfin, une réalité politique comme on peut l'observer
dans l'éclatement de leurs votes à l'ONU.

Le terme a été forgé dans les années cinquante pour carac-
tériser des pays en développement qui adhéraient à certains
grands thèmes politiques : l'achèvement de la décolonisation,
le non-alignement, puis, dans les années 60 et 70, la revendication d'un nouvel ordre économique international. Ces pays

se sont rassemblés au sein d'organisations internationales[1] pour défendre les intérêts et les idéaux du Tiers Monde contre les hégémonies et les monopoles acquis par les puissances occidentales dans le passé. Dans un monde soumis à la logique des blocs, ce concept avait donc un aspect politique et économique.

Dans l'imaginaire des Occidentaux, le concept de Tiers Monde renvoie très généralement à la trilogie pauvreté, dépendance et inégalités. L'étude des structures économiques et sociales des pays qui appartiennent au Tiers Monde montre que cette trilogie ne rend pas bien compte de la réalité. Au cours des vingt dernières années, une diversification considérable a affecté le Tiers Monde. Certains pays d'Asie du Sud-Est et de l'Est ont, parfois contre toute attente, connu une croissance économique et un réel développement, au sens où l'entend F. Perroux, c'est-à-dire des changements sociaux et culturels qui ont permis à la population de s'adapter aux conditions de la croissance économique. Les « quatre dragons » d'Asie (Corée du Sud, Singapour, Hong Kong et Taïwan), la Malaisie et la Thaïlande connaissent depuis peu une rapide croissance économique, un développement de leur industrie – et pas seulement des industries de main-d'œuvre –, un développement humain avec une maîtrise de la fécondité, un niveau d'éducation et sanitaire qui ne correspond plus du tout à la description d'un pays du Tiers Monde. A l'inverse, l'Afrique subsaharienne reste, dans sa quasi-totalité, un continent pauvre où la croissance économique est inférieure à la progression démographique, ce qui a pour résultat une augmentation de l'écart avec les pays développés.

Cette diversification croissante a de nombreuses racines. Le choix des politiques de développement a été extrêmement

---

1. La CEPAL (Commission Economique pour l'Amérique latine) au sein de l'ONU, l'OUA (Organisation de l'unité africaine), par exemple.

divers. Certains pays ont misé presque exclusivement sur la mise en valeur de leurs ressources naturelles, mais, sauf exception, l'économie de rente n'a pas réussi à assurer une croissance économique régulière, ni encore moins à poser les bases du développement (voir l'exemple de la Zambie ou du Nigeria). D'autres pays ont misé sur l'industrialisation ; certains lui ont sacrifié leur agriculture (Algérie), d'autres ont réussi à s'appuyer sur une base agraire solide et à mettre en place une politique qui a favorisé la croissance (Corée du Sud). Certains pays ont opté pour une croissance endogène en recourant à un certain protectionnisme et en cherchant des solutions technologiques nationales (Inde), d'autres se sont ouverts plus ou moins largement aux capitaux étrangers (Thaïlande). Certains ont réussi à faire profiter une partie non négligeable de la population de progrès sociaux en matière de santé et d'éducation (Corée du Sud et Sri-Lanka), d'autres encore sont restés englués dans des structures sociales très inégalitaires qui finissent par bloquer la croissance. On a parlé pour eux de « mal développement » (Brésil, par exemple). Des pays qui avaient joué un rôle moteur dans l'émergence du Tiers Monde (Inde, Chine, Cuba, Algérie...), ont dû faire face à de nombreuses difficultés internes. Le Tiers Monde aujourd'hui, c'est à la fois la Somalie où la guerre a engendré la famine, le Rwanda et le Burundi déchirés par des conflits ethniques, la révolte des paysans mexicains « Zapatistes », qui dénoncent le manque de terre et la misère des Indiens, mais aussi l'essor d'un capitalisme chinois débridé, la réussite de la Corée du Sud qui envisage de demander son adhésion à l'OCDE, le club des pays riches.

Cette diversité sociale et économique a amené de nombreux auteurs à considérer qu'il faudrait au moins revoir les frontières du Tiers Monde, voire en parler au pluriel. D'autant que la diversité ne s'arrête pas à la situation économique et sociale. L'unité politique du Tiers Monde a volé en éclats depuis longtemps, avec la multiplication des conflits qui témoignent de l'antagonisme de leurs intérêts respectifs et du désir de certains dirigeants d'assumer un leadership régional. Depuis la chute du mur de Berlin, la caractéristique de pays non-aligné, qui était un signe de reconnaissance des pays du Tiers Monde, n'a plus de sens. Depuis la crise de la dette des années 80 et l'acceptation très généralisée des recommandations du FMI imposant des mesures de rééquilibrage des finances publiques et l'ouverture des marchés, les revendications pour un nouvel ordre économique international se sont considérablement émoussées. Les débiteurs n'ont même pas réussi à former un cartel face aux créanciers bien organisés autour du FMI. On n'entend plus la voix du Tiers Monde. Les grands leaders sont morts ou bien, tel Fidel Castro, ont perdu leur aura. Aucun de ceux qui leur a succédé n'a réussi à jouer un rôle de rassembleur. Peu s'y sont risqués. Le pragmatisme et le chacun pour soi l'emportent. Les solutions étroitement nationales sont systématiquement préférées à la recherche de solidarités régionales.

On continue pourtant à utiliser le terme de Tiers Monde dans les médias, parce qu'historiquement, il a un sens. Mais en tant que concept, c'est-à-dire en tant qu'instrument permettant d'analyser la réalité, le Tiers Monde n'existe plus.

Cela ne signifie pas, malheureusement, la fin du sous-développement. Il reste d'énormes écarts de richesse entre les pays développés et les pays en développement, et les écarts se sont creusés au cours des années 80. A une époque où la généralisation des médias modernes permet une information rapide et uniforme du monde, l'augmentation de la pauvreté de la plus grande partie du monde, avec son cortège de conflits, peut devenir une menace pour tous. En outre, l'expérience récente des pays de l'Est montre que le développement n'est jamais définitivement acquis. La liste des pays en développement s'y est allongée de nouveaux membres nés du démantèlement de l'URSS : Tadjikistan, Georgie, Arménie, etc.

A la fin du XXᵉ siècle, le monde n'apparaît plus divisé en trois groupes, le Tiers Monde étant le troisième, mais en deux : les pays développés qui connaissent, pour certains, une croissance lente, mais assurent globalement à leur population la satisfaction des besoins humains fondamentaux, et les pays en développement qui ne parviennent pas à les assurer.

CHAPITRE I

De l'unité
à la
diversité

∎

Tiers Monde : le terme apparaît dans les années 50, dans le contexte de la guerre froide et de la décolonisation. Il va connaître un grand succès et son emploi se généralisera sans que pour autant les critères d'appartenance au Tiers Monde fassent l'objet d'un consensus. En effet, dès cette époque, le Tiers Monde apparaît comme un monde diversifié avec des pays différents par leur taille, leur culture, leurs positions stratégiques. Mais cela ne l'empêche pas de se faire entendre en tant que groupe dans les instances internationales. Toutefois, sa diversité va peu à peu s'affirmer de plus en plus, de sorte qu'aujourd'hui un certain nombre d'auteurs, tels S. Latouche[1], se demandent s'il s'agit encore d'un concept utile.

---

1. S. LATOUCHE, « L'internationalisation, la crise du développement et la fin du Tiers Monde », *in* revue *Tiers Monde*, n° 114, avril-juin 1988.

1. La naissance
du Tiers Monde

Le terme de Tiers Monde a été créé par Alfred Sauvy en 1952. Il a comparé ce Tiers Monde au Tiers-Etat, comme lui « ignoré, exploité, méprisé et qui aspire à être reconnu ». Par la suite, l'expression a été beaucoup reprise, car on lui a ajouté une autre connotation : dans la période qui suit la Seconde Guerre mondiale, avec la décolonisation, apparaît un troisième monde face aux pays capitalistes développés et aux pays socialistes.

Les pays qui composent ce Tiers Monde ont des caractéristiques communes. Leur économie est encore largement dominée par les activités agricoles, l'industrie en est à ses balbutiements. Leur population augmente vite, ce qui pouvait constituer un aiguillon pour un développement d'autant plus indispensable que leur niveau de vie est très inférieur à celui des pays industrialisés. Enfin, la quasi-totalité de ces pays a été colonisée. Il s'en dégage le sentiment d'une « communauté de destins », comme l'affirme, en 1955, la déclaration de la Conférence de Bandung, qui scelle l'acte de naissance du Mouvement des non-alignés.

Ces pays vont pouvoir faire entendre leur voix dans les institutions internationales, où ils s'opposeront souvent aux pays industrialisés. Dans le contexte des années 50 et du début des années 60, où la guerre froide bat son plein, les grands leaders du Tiers Monde, Mao Zedong, Nehru, Nasser ou Nkrumah semblent solidaires pour défendre la même cause, celle des pays trop longtemps exploités et dominés. Le premier sommet des non-alignés se tient à Belgrade en 1961 et, en 1966, à la Conférence de La Havane, qui regroupe 82 pays et organisations, est créée l'« Organisation de solidarité des peuples d'Asie, d'Afrique et d'Amérique Latine » qu'on appelle aussi la « Tricontinentale ». C'est de ce mouvement

L'apparition du terme
« Tiers Monde »
sous la plume d'Alfred Sauvy

« Nous parlons volontiers des deux mondes en présence, de leur guerre possible, de leur coexistence, etc, oubliant trop souvent qu'il en existe un troisième, le plus important et, en somme, le premier dans la chronologie. C'est l'ensemble de ceux que l'on appelle, en style Nations unies, les pays sous-développés [...].

Les pays sous-développés, le troisième monde, sont entrés dans une phase nouvelle : certaines techniques médicales s'introduisent assez vite pour une raison majeure : elles coûtent peu. Toute une région de l'Algérie a été traitée au DDT contre la malaria : coût 68 F par personne. [...] Pour quelques cents, la vie d'un homme est prolongée de plusieurs années. De ce fait, ces pays ont notre mortalité de 1914 et notre natalité du XVIIIe siècle. Certes, une amélioration économique en résulte : moins de mortalité de jeunes, meilleure productivité des adultes, etc. Néanmoins, on conçoit bien que cet accroissement démographique devra être accompagné d'importants investissements pour adapter le contenant au contenu. Or, ces investissements vitaux coûtent, eux, beaucoup plus de 68 F par personne. Ils se heurtent alors au mur financier de la guerre froide. Le résultat est éloquent : le cycle millénaire de la vie et de la mort est ouvert, mais c'est un cycle de misère [...].

La préparation de la guerre étant le souci numéro un, les soucis secondaires comme la faim du monde ne doivent retenir l'attention que dans la limite juste suffisante pour éviter l'explosion ou plus exactement pour éviter un trouble susceptible de compromettre l'objectif numéro un. Mais, quand on songe aux énormes erreurs qu'ont tant de fois commises, en matière de patience humaine, les conservateurs de tout temps, on peut ne nourrir qu'une médiocre confiance dans l'aptitude des Américains à jouer avec le feu populaire. Néophytes de la domination, mystiques de la libre entreprise au point de la concevoir comme une fin, ils n'ont pas nettement perçu encore que le pays sous-développé de type féodal pouvait passer beaucoup plus facilement au régime communiste qu'au capitalisme démocratique. Que l'on se console, si l'on veut, en y voyant la preuve d'une avance plus grande du capitalisme, mais le fait n'est pas niable. Et peut-être, à sa vive lueur, le monde numéro un pourrait-il, même en dehors de toute solidarité humaine, ne pas rester insensible à une poussée lente et irrésistible, humble et féroce, vers la vie. Car enfin, ce Tiers Monde ignoré, exploité, méprisé comme le Tiers Etat, veut, lui aussi, être quelque chose. »

L'Observateur, 14 août 1952

des non-alignés que sont parties les revendications d'un nouvel ordre économique international (NOEI), la recherche de l'ouverture d'un dialogue Nord-Sud, la création de l'OPEP[2] en 1961, celle du « groupe des 77 » en 1971.

Le Tiers Monde est donc devenu un concept très utilisé en tant qu'outil d'analyse et de compréhension de la réalité. Il s'est imposé aux côtés de termes voisins : pays sous-développés, pays en voie de développement, sud, périphérie. Chacun de ces termes renvoie à un paradigme différent, il met l'accent sur telle ou telle analyse de la réalité. Lorsqu'un auteur parle de pays sous-développé, il compare la situation de ce pays à celle des pays développés, considérés comme le modèle à atteindre. Cela renvoie à l'idée d'un modèle de développement unique, celui des pays capitalistes développés[3]. Le terme de pays en voie de développement, ou en développement, évoque l'idée que le processus de croissance est en cours et que certaines transformations des structures économiques et sociales sont déjà opérées. Il y a dans ce terme l'idée que le développement est un processus ininterrompu. Cette analyse est récusée par certains auteurs comme A. Gunder Frank[4], qui propose plutôt de les appeler « pays en voie de sous-développement », car leur indépendance politi-

---

2. OPEP : Organisation des pays exportateurs de pétrole, créée en 1960. Elle regroupe les principaux pays producteurs pour coordonner leurs politiques de prix et de production.
3. Il faut distinguer la notion de développement et celle de croissance économique. Le développement a été défini par F. Perroux comme « la combinaison des changements mentaux et sociaux d'une population qui la rendent aptes à accroître cumulativement et durablement son produit global » (Etudes, 1961). Alors que la croissance est une notion quantitative et économique qui renvoie à l'augmentation du PNB, le développement est une notion plus qualitative qui inclut toutes les transformations sociales qui accompagnent la croissance.
4. A. Gunder FRANK, *Le développement du sous-développement en Amérique latine*, F. Maspéro, Paris, 1970.

que n'a pas signifié la fin de leur exploitation économique par les puissances impérialistes, et les plus pauvres sont justement ceux qui se sont le plus engagés dans des relations commerciales avec ces puissances impérialistes. Le terme de sud renvoie à une vision plus géographique et vise à présenter une dualité non hiérarchisée. La plupart des pays du Tiers Monde se trouvent en zone tropicale et subtropicale, tandis que les pays développés industrialisés se trouvent majoritairement dans la zone tempérée de l'hémisphère nord. Le terme de périphérie enfin, renvoie à une analyse « tiersmondiste », celle des structuralistes et des marxistes, qui oppose le Centre, les pays capitalistes développés qui détiennent le pouvoir économique et politique, et la périphérie qui reste en marge du développement du Centre, tout en le nourrissant (voir chapitre II).

Le Tiers Monde regroupe un ensemble de pays qui ont, à priori, des caractéristiques communes. Mais quelles caractéristiques faut-il retenir ? Cette question est d'importance car la réponse qui y sera apportée permettra de distinguer les pays qui appartiennent au Tiers Monde des pays qui lui sont extérieurs.

2. Les caractéristiques communes

Le Tiers Monde est souvent défini par une liste de critères : pauvreté, forte croissance de la population, importance de l'agriculture dans l'économie, dépendance et inégalités.

La pauvreté serait donc le premier critère de l'appartenance au Tiers Monde. C'est effectivement dans ces pays que l'on trouve le milliard de personnes qui vivent en dessous du seuil de pauvreté absolue que la Banque Mondiale fixe à un dollar par jour. Ces pays qui disposent de près de 78 % de la population mondiale ne réalisent que 18 % du PIB mondial, alors que les pays développés avec 20 % de la population mondiale assurent 73% du PIB mondial. Le PNB par habitant est, en 1993, inférieur à 700 $ par an dans les pays à bas revenu, et à 2 800 $ dans les pays à revenu intermédiaire de la tranche inférieure, alors qu'il est égal à 24 740 $ aux Etats-Unis, à 31 490 $ au Japon et à 22 490 $ en France. Selon l'Atlas de la Banque Mondiale en 1995, dix pays, dont huit en Afrique, sont sous la barre des 1 200 francs par tête par an, et les écarts se creusent depuis le début des années 80. En 1992, par exemple, le revenu par habitant de la Suisse, qui était de 210 000 francs par an, a augmenté de 7,5 %, tandis que celui du Mozambique, qui était de 350 francs par an a diminué de 25 %.

Toutefois, cette mesure de la pauvreté par le PNB par habitant n'est pas exempte de critiques. Tout d'abord, le PNB par habitant est une moyenne. Il masque donc les inégalités de revenus qui sont importantes dans le Tiers Monde. De plus, il ne prend pas en compte l'autoconsommation, importante dans ces pays où les activités agricoles dominent, ni le produit de l'économie informelle, puisque le PNB ne comptabilise que les activités déclarées. Enfin, la comparaison internationale des PNB se fait aux taux de change courants du dollar. Certains économistes proposent de faire plutôt les calculs avec des taux de change pondérés des parités de pouvoir d'achat. Il s'agit de rechercher le taux de change qui permettrait d'acheter, à des conditions identiques, la même gamme de produits et services dans deux pays différents. On paierait, après application de ce taux de change, le même prix dans les deux pays pour un litre de lait, une coupe de cheveux, un jean..., sans les déformations dues aux différences de structures économiques entre les deux pays ou aux variations des taux de change. En 1993, le FMI a proposé, dans ses perspectives de l'économie mondiale, ce type de calcul. Avec l'application de taux de change pondérés des parités de pouvoir d'achat, les pays capitalistes développés n'assureraient plus 73 % du PIB mondial, mais seulement 54 %, et les pays en développement 34 % au lieu de 18 %. La Chine serait propulsée pour son PIB global au quatrième rang mondial derrière les Etats-Unis, l'ex-URSS et le Japon, et devant l'Allemagne.

Les diverses organisations internationales ne se contentent pas du PIB par habitant pour mesurer la pauvreté. Elles l'observent à travers de nombreux indicateurs tels la malnutrition et le niveau sanitaire, mesurés en particulier par l'espérance de vie à la naissance et le taux de mortalité infantile, le taux de scolarisation et le taux d'alphabétisation des adultes, l'accès à l'eau potable. Cette pauvreté côtoie de grandes richesses, car les inégalités sont particulièrement fortes dans les pays du Tiers Monde.

La forte croissance de la population, sur laquelle insiste par exemple Y. Lacoste[5], constitue la seconde caractéristique du Tiers Monde.

La population des pays en développement représentait 66,9 % de la population mondiale en 1950, 77,2 % en 1990 et atteindra 80 % en l'an 2000. L'Afrique connaît un taux de croissance annuel de sa population de 3 %[6], l'Amérique latine de 2,1 % et l'Asie, de 1,9 %, alors qu'il n'est que de 0,5 % dans les pays développés. C'est cette croissance de la population qui alimente les angoisses sur l'explosion démographique, d'autant plus que cette démographie explosive du Tiers Monde fait vibrer une autre corde sensible de nos sociétés : l'environnement. La croissance démographique est

---

5. Y. LACOSTE, *Unité et diversité du Tiers Monde*, F. Maspéro, Paris, 1980.
6. Ce taux entraîne un doublement de la population en un peu plus de 23 ans, selon ce que les démographes appellent la règle des 70. Une population qui augmente de 1 % par an double en 70 ans ; si elle croît de 2 % par an, elle double en 35 ans, etc.

souvent accusée d'être la principale cause de la déforestation, de la dégradation des sols, de la pollution des eaux et de l'émission de gaz à effet de serre. En outre, certains auteurs, comme Alfred Sauvy, perçoivent cette croissance démographique comme une menace géopolitique. Le nombre assure la puissance et le Sud, jeune et plein de vitalité, débordera sur le Nord vieillissant, qui déclinera peu à peu.

D'autres voix font, au contraire, remarquer que de nombreux pays développés, tels le Japon ou les Pays-Bas, ont des densités bien supérieures à celles du Tiers Monde. Ils rappellent aussi que, sur une planète nucléarisée, le nombre n'est plus un élément décisif de la puissance. Enfin, il est bon de se remémorer que l'essentiel de la pollution est le fait des pays développés surconsommateurs d'énergie, d'engrais, de pesticides et gros pourvoyeurs de déchets.

Un troisième critère d'appartenance au Tiers Monde est en général avancé : l'importance des activités agricoles et le retard de l'industrialisation. L'agriculture de ces pays est en général sous-productive. La pauvreté des campagnes incite les plus entreprenants à l'exode rural, ce qui alimente une croissance urbaine anarchique et un fort taux de sous-emploi. L'industrie, quand elle existe, est dominée par des firmes transnationales, tournée vers l'étranger et non vers la satisfaction des besoins de la population. On retrouve ici la marque de la dépendance, autre caractéristique de ces pays. Ils sont dépendants de leurs exportations de matières premières qui doivent leur assurer les devises nécessaires à l'industrialisation. Or, la demande de matières premières, dans les pays développés, augmente peu en raison des progrès techniques et de la récession actuelle. Les recettes que ces pays dégagent de la vente de leurs produits primaires n'augmentent pas, alors que le prix des biens d'équipement nécessaires à leur industrialisation continue à augmenter. Il leur faut donc trouver des capitaux pour financer leur développement.

L'épargne intérieure s'avérant insuffisante, ils doivent em-
prunter à l'extérieur, attirer les investissements étrangers,
tenter d'obtenir de l'aide de la part des pays développés. Tout
ceci accentue leur dépendance.

Enfin, il faut noter que l'appartenance au Tiers Monde ne
se définit pas seulement par des caractéristiques économiques. Certains auteurs comme M. Chauvin[7], font remarquer
que ces pays ont tous des Etats à la fois hypertrophiés (on le
constate avec la part des entreprises publiques dans l'économie et l'importance des dépenses de fonctionnement) et en
même temps faibles : la discipline sociale y est mal assurée, la
corruption sévit, le sens du service public est souvent absent
chez les hauts fonctionnaires et la cohésion sociale est loin
d'être assurée. Par ailleurs, ces Etats ont un autre point commun. Ils adhèrent de façon assez générale à certains grands
thèmes politiques : le non-alignement et la revendication
d'un nouvel ordre économique international.

Mais on peut se demander si ces caractéristiques communes ne correspondent pas à une vision dépassée du Tiers
Monde. La réalité s'oppose à ces simplifications et révèle une
diversification croissante du Tiers Monde.

3. La diversité du
Tiers Monde

Il y a des différences anciennes. Ces pays sont différents par
leur taille. Si l'on compare la superficie et la population de la
Chine et celles du Viêt-Nam voisin, on se rend compte que les
conditions de leur développement respectif ne peuvent être
identiques. Tous ne se trouvent pas en zone tropicale ou

---

7. M. CHAUVIN, *Tiers Monde, la fin des idées reçues*, Coll. Alternatives
   Economiques, Syros, Paris, 1991.

équatoriale, par exemple l'Argentine ou le Chili. Il en résulte des conditions de développement différentes en matière agricole particulièrement. Certains ont des richesses naturelles importantes, comme le pétrole pour le Koweït ou le Mexique, ou le fer, la bauxite, le manganèse et les pierres précieuses pour le Brésil ; d'autres en sont pratiquement dépourvus, tels la Corée du Sud ou le Mali. Certains Etats ont des nations qui sont installées depuis des lustres : la Corée du Sud, le Viêt-Nam, le Chili ou l'Argentine. Pour d'autres, les frontières ont été tracées artificiellement, au gré de la géographie et de l'avancée des explorateurs européens, sans respecter la répartition des différentes ethnies, en Afrique en particulier.

Pour tenir compte de ces différences, les organisations internationales proposent dans leurs statistiques, un classement des pays du Tiers Monde. Les plus utilisés sont ceux de la Banque Mondiale et de l'Organisation des Nations unies (voir encadré p. 30-31).

Depuis 1990, le rapport des Nations unies utilise un nouvel indicateur : l'indicateur du développement humain qui formule une mesure du développement beaucoup plus complète que le seul revenu par habitant. Cet indicateur combine une mesure du pouvoir d'achat réel, du niveau d'enseignement et de l'espérance de vie. Ce nouveau classement fait ressortir des conclusions intéressantes, en particulier le fait qu'il n'y a pas de lien automatique entre le revenu et le développement humain. Plusieurs pays, tels le Chili, la Chine, la Colombie, le Costa Rica, le Sri-Lanka, la Tanzanie et l'Uruguay ont su utiliser leurs revenus pour améliorer le sort de leurs habitants. Ils se classent à un rang beaucoup plus élevé pour le développement humain que pour le revenu par habitant. A l'inverse, d'autres pays, tels l'Algérie, l'Angola, le Gabon, la Guinée, l'Arabie Saoudite, le Sénégal, l'Afrique du Sud ont un rang dans l'échelle des revenus qui dépasse de beaucoup celui qu'ils occupent dans celle du développement humain. A

La Banque Mondiale
distingue :

• Les pays à faible revenu (moins de 700 $ par habitant en 1993).
• Les pays à revenu intermédiaire divisés en deux groupes : une tranche supérieure (PNB par habitant compris entre 2 800 $ et 9 000 $) et une tranche inférieure (PNB par habitant compris entre 700 $ et 2 800 $).

Parmi ces pays, elle opère aussi une distinction pour les pays exportateurs de pétrole et pour les pays gravement endettés. Le critère essentiel est donc le revenu par habitant.

Les Nations unies
distinguent :

• Les NPI (nouveaux pays industrialisés) dont la définition n'est pas fixée clairement. Pour l'OCDE, les produits manufacturés y représentent plus de 25 % du PIB et plus de 50 % des exportations. On y trouve une vingtaine de pays, dont les « quatre dragons » d'Asie (Corée du Sud, Singapour, Taïwan et Hong Kong), mais aussi la Malaisie, la Thaïlande, le Mexique, le Brésil, l'Argentine, les Philippines. Bien qu'ils ne remplissent pas tous les conditions de l'OCDE, on les classe dans ce groupe parce qu'il s'agit de pays dont la croissance industrielle est très rapide (voir carte, p. 33).
• Les pays exportateurs de pétrole, dont l'économie est une économie de rente. On y trouve le Koweït, l'Arabie Saoudite, le Nigeria.

• Les PMA (pays les moins avancés). Leur PNB par habitant est inférieur à 700 $ par habitant par an. La part de l'industrie dans le PNB y est inférieure à 10 % et le taux d'alphabétisation inférieur à 20 %. Il y en a 48, dont 34 en Afrique (Guinée, Mali, Ethiopie, Somalie, par exemple). (voir carte, p. 32).
• Les pays continents, Inde et Chine, relativement fermés, mais où la faiblesse du revenu par habitant cache une croissance réelle de la production agricole et industrielle.
• Les autres pays du Tiers Monde.

revenu égal, le Guyana a une espérance de vie moyenne supérieure de dix ans à celle du Ghana, un taux de mortalité infantile inférieur de moitié et un taux d'alphabétisation supérieur de seize fois à celui du Pakistan.

Ces différents rapports mettent bien en lumière la situation socio-économique de plus en plus diversifiée des pays du Tiers Monde. En Asie de l'Est et du Sud-Est, on note des réussites économiques tangibles. La croissance atteint ou dépasse 5 % par an, l'industrie connaît une croissance rapide qui ne concerne plus seulement des industries de main-d'œuvre. Le niveau de vie de la population s'est considérablement amélioré. La fécondité y est maîtrisée. La Corée du Sud, Taïwan, Singapour et Hong Kong sont aujourd'hui des pays développés. La Corée du Sud appartient désormais à l'OCDE, le club des pays riches.

L'Afrique est dans une position inverse. C'est sur ce continent que se trouvent trente-quatre des quarante-huit PMA et huit des dix pays les plus pauvres du monde. La croissance économique y atteint en moyenne 0,5 % par an. La plupart des pays

Carte des pays les moins avancés (PMA)

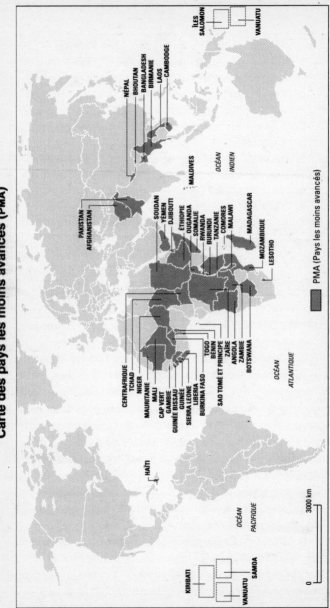

■ PMA (Pays les moins avancés)

ÎLES SALOMON
VANUATU

NÉPAL
BHOUTAN
BANGLADESH
BIRMANIE
LAOS
CAMBODGE

PAKISTAN
AFGHANISTAN

MALDIVES

OCÉAN INDIEN

SOUDAN
YÉMEN
DJIBOUTI
ÉTHIOPIE
OUGANDA
SOMALIE
RWANDA
BURUNDI
TANZANIE
COMORES
MALAWI
MADAGASCAR
MOZAMBIQUE
LESOTHO

CENTRAFRIQUE
TCHAD
NIGER
MAURITANIE
MALI
CAP VERT
GAMBIE
GUINÉE BISSAU
GUINÉE
LIBERIA
SIERRA LÉONE
BURKINA FASO
SAO TOMÉ ET PRINCIPE
TOGO
BÉNIN
ZAÏRE
ANGOLA
ZAMBIE
BOTSWANA

HAÏTI

OCÉAN ATLANTIQUE

OCÉAN PACIFIQUE

KIRIBATI
VANUATU
SAMOA

0   3000 km

Carte des nouveaux pays industrialisés (NPI)

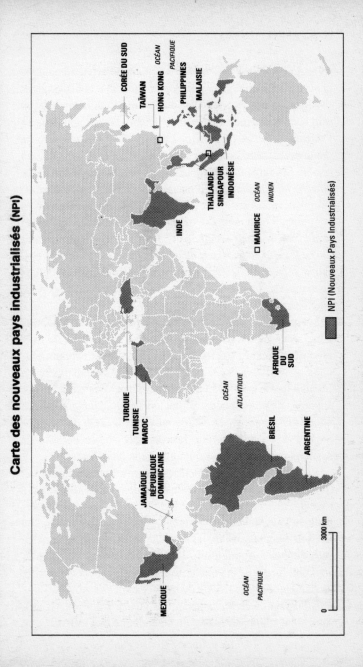

CORÉE DU SUD
TAÏWAN
HONG KONG
PHILIPPINES
MALAISIE
OCÉAN PACIFIQUE
THAÏLANDE
SINGAPOUR
INDONÉSIE
INDE
OCÉAN INDIEN
MAURICE
AFRIQUE DU SUD
TURQUIE
TUNISIE
MAROC
OCÉAN ATLANTIQUE
BRÉSIL
ARGENTINE
JAMAÏQUE
RÉPUBLIQUE DOMINICAINE
MEXIQUE
OCÉAN PACIFIQUE

0   3000 km

■ NPI (Nouveaux Pays Industrialisés)

restent dépendants des matières premières et victimes de la chute de leur prix. A la suite de la chute des cours du café, l'Ouganda, un des pays les plus pauvres du monde a vu diminuer de moitié ses recettes d'exportation. L'industrie de l'Afrique reste à construire. La part de l'Afrique dans le commerce international est passée de 4 % à 1 %, au cours des années 80. La situation sociale y est tout aussi délabrée. On compte en moyenne 7 à 8 naissances par femme en Afrique subsaharienne. Seulement 9 % des femmes accèdent à la contraception, la mortalité infantile y est très élevée et l'espérance de vie y atteint seulement 53 ans. Les conflits militaires y sont légions, provoquant de lourdes dépenses pour les Etats. Entre 1978 et 1987, l'Afrique a acheté 61 milliards de dollars de matériel militaire, soit l'équivalent de la moitié de sa dette extérieure totale.

L'Amérique latine est dans une position intermédiaire. Vingt-neuf pays sur quarante-sept sont tributaires de trois produits primaires pour plus de 50 % de leurs exportations, mais on y trouve aussi des pôles industriels puissants. Le Brésil exporte du soja et du café mais aussi des montres, des appareils de précision, des ordinateurs et des automobiles. Le taux de croissance y atteint en moyenne 4% par an. L'espérance de vie y est de 68 ans, la croissance de la population de 2,1 % par an grâce à la diminution de la fécondité.

La diversité du Tiers Monde éclate aussi au grand jour sur le plan politique. La multiplication des conflits internes a relevé longtemps de la rivalité Est-Ouest. La guerre de Corée, celle du Viêt-Nam, les guerres en Afghanistan ou en Angola, le conflit Somalie-Ethiopie de 1977-1978 relevaient bien de cette logique. Aujourd'hui, il s'agit clairement de rivalités économiques et de la volonté de certains pays de jouer un rôle de puissance régionale. En Asie, l'Inde coexiste toujours très difficilement avec le Pakistan. La guerre Iran-Irak visait à assurer au vainqueur le rôle de « gendarme du Golfe ». Cette volonté de l'Irak de devenir la puissance régionale de cette région s'est réaffirmée lors de la guerre du Golfe qui a suivi l'invasion du Koweït en 1991. L'Irak a d'ailleurs, à cette occasion, proposé aux quarante-deux PMA d'aller quérir gratuitement du pétrole au lendemain de l'embargo de l'ONU, cherchant ainsi à faire reconnaître son rôle de leader du Tiers Monde. Mais l'heure n'est plus à l'unité. Le discours des 77 sur le nouvel ordre économique international n'a pas survécu à la crise de la dette des années 80 ni aux luttes fratricides qui ont opposé de nombreux pays du Tiers Monde. Dans l'affaire du cacao, quand la Côte d'Ivoire a tenté de s'opposer à la chute des cours en augmentant ses stocks afin de diminuer l'offre, elle a trouvé en face d'elle l'Indonésie et la Malaisie qui ont profité de son absence pour conquérir les marchés. Le krach de l'étain a montré que le Brésil n'avait que faire des mineurs boliviens.

On constate donc que, tant sur le plan économique que sur le plan politique, l'unité du Tiers Monde n'existe plus.

Entretien

Jean Chesneaux

Professeur à l'Université Paris VII, auteur de *Modernité-monde* (La Découverte, Paris 1989), de « Dix questions sur la mondialisation » et « Le Sud en quête d'existence », *in Les frontières de l'économie globale, Manière de voir, Le Monde diplomatique*, mai 1993.

———

— Le Tiers Monde est un terme qui a été crée par Alfred Sauvy, dans les années cinquante. Mais ne peut-on pas dire que le Tiers Monde a toujours existé ?

Il s'agit d'un terme ambigu qui a, à la fois, une référence française et une référence internationale. En tant que référence française, il nous ramène au Tiers Etat. Si l'on veut signifier ainsi qu'il y a dans la société internationale, des pays en bas de l'échelle sociale et qui représentent la grande majorité du monde, alors le Tiers Monde existe depuis longtemps. Pendant des siècles, les grandes sociétés du monde étaient à la fois éloignées et étrangères les unes aux autres, à travers des rapports de parité, et ce n'est que depuis le XVIe, XVIIe et surtout le XIXe siècle, que la société internationale est dominée par l'Occident, à travers des relations d'inégalité et d'infériorité. En ce sens, le Tiers Monde n'est que la forme la plus récente de la situation d'asservissement imposée aux pays coloniaux et semi-coloniaux, et l'on peut considérer qu'il existe depuis longtemps.

Mais, dans sa référence internationale, le Tiers Monde renvoie à une situation triangulaire bien plus récente ; certains pays, surtout depuis la Conférence de Bandung en 1955, ont essayé de dégager un projet de société qui soit distinct du modèle capitaliste des sociétés développées et du modèle socialiste d'Etat. La référence au Tiers Etat n'a pas grand sens pour les anglo-saxons. En revanche, cette recherche d'une troisième voie entre pays socialistes et pays capitalistes est comprise par tous. C'est cela le vrai Tiers Monde. Il date vraiment de la fin de la guerre froide, de la conférence de Bandung, et pendant trente à quarante ans, les pays non-alignés, ainsi qu'ils se nommaient, ont été une composante importante de la scène internationale.

– Pensez-vous que le Tiers Monde soit encore un concept valide aujourd'hui ?

Je ne le pense pas. Si le Tiers Monde n'était qu'une projection sur la sphère internationale de notre vision française de Tiers Etat, il existerait toujours, car les choses se sont aggravées. Mais si l'on adopte la référence internationale, la situation a radicalement changé. Le socle fondateur de la notion de Tiers Monde se trouvait dans la confrontation entre pays capitalistes développés et pays à socialisme d'Etat. Cette confrontation s'est désintégrée, essentiellement depuis la chute du mur de Berlin en 1989. Le « Tiers » Monde a perdu sa référence ordinale puisque le deuxième monde, le socialisme d'Etat, n'existe plus. Mais il n'y a pas qu'une question de numérotation, c'est aussi une question d'espace politique. La confrontation Est-Ouest offrait aux pays du Sud un espace de liberté et des possibilités de négociation, d'équilibre dont ils ne se privaient pas de faire usage. Quand ils étaient en difficulté d'un côté, ils frappaient à la porte de l'autre côté, et ils l'ont souvent fait en matière diplomatique, en matière d'aide, d'assistance technique. Cette situation a disparu.

Dans la mesure où les pays du Tiers Monde sont aujourd'hui privés de la possibilité de jouer de cette situation triangulaire, ils sont rejetés dans la dépendance pure et simple par rapport aux pays du Nord. Si nombre de personnes, dont je suis, pensent que le terme de Tiers Monde est maintenant piégé, et occulte la vraie situation du Sud, ce n'est pas seulement par souci de peindre avec un mot nouveau une réalité ancienne. Si nous parlons de Sud et non plus de Tiers Monde, c'est que la relation des pays du Sud avec ceux du Nord n'est pas de même nature que celle que les pays du Tiers Monde entretenaient avec les pays développés. Le Tiers Monde devenu le Sud, n'est plus que la projection dégradée du Nord. Ses possibilités d'avoir un projet propre de société sont très affaiblies. Les villes du Sud sont le reflet dégradé de celles du Nord, le chômage du Sud est une forme avilie de celui du Nord. Les autobus du Sud, ses ferry-boats seraient refusés par les commissions de contrôle du Nord, mais sont encore assez bons pour le Sud, et chaque mois, on y dénombre des accidents impensables dans le Nord. Donc, parler du Sud et proposer que ce terme remplace celui de Tiers Monde, c'est regarder en face l'aggravation de la relation entre les pays développés et le monde de la misère, de l'échec et de la déréliction.

– Vous avez écrit que toutes les sociétés sont désormais intégrées dans le réseau de la modernité. Pourriez-vous développer cette idée ?

C'est une question qui nous contraint à penser dans la complexité dialectique, car la réalité est toujours contradictoire. Notre monde unifié s'exprime à la fois dans la polarisation et dans l'intégration, deux aspects qui sont à la fois indissociables et opposés.

Il y a polarisation. Les migrations mondiales en sont un signe. D'une part, les riches vont chez les pauvres et y vivent bien ! Consultants, ingénieurs, enseignants, experts y perçoivent des sursalaires, des primes, y ont des conditions de vie bien meilleures que celles auxquelles ils pourraient aspirer dans les pays du Nord. D'autre part, il y a des migrations du Sud vers le Nord. Il s'agit là d'une fuite qui exprime la déstabilisation des sociétés du Sud, le fait que les paysans quittent la terre pour les petites villes, que les habitants des petites villes échouent dans les banlieues des plus grandes et que seule une petite minorité arrive dans le Nord. Cela conduit les habitants du Guatémala vers le Canada, ceux des Philippines au Moyen-Orient, ceux d'Afrique Noire en Norvège. Ces migrations débordent les anciennes solidarités de l'époque coloniale. De la même façon, les relations financières aggravent cette polarisation, comme on peut le voir avec la dette des pays du Sud. Ce que j'ai appelé la modernité-monde, le système mondial de modernité intégré se caractérise à la fois par cette polarisation, mais aussi par son intégration.

Il est certain que le modèle occidental de développement est reproductible. On peut reproduire le phénomène de Singapour ou de Hong Kong dans certaines zones privilégiées d'Amérique latine ou d'Afrique, mais le principe même du succès de Singapour réside dans son caractère marginal. Singapour n'a réussi que parce que, dans le Sud-Est asiatique, existent de vastes réserves de main-d'œuvre et de produits alimentaires bon marché dont elle a besoin. On ne peut « singapouriser » l'ensemble de la planète. Notre système est reproductible, mais pas généralisable. Je prendrai comme exemple celui de la voiture individuelle. Ce ne peut être un modèle véhiculaire que pour des enclaves privilégiées. Sa généralisation serait une aberration économique, écologique et urbanistique. En revanche, que les six milliards d'êtres humains de la planète puissent avoir accès à l'eau potable, c'est techniquement possible et humainement nécessaire, mais ce n'est pas rentable selon les lois du marché.

Il y faudrait une volonté politique internationale qui n'existe pas.

Le paradoxe, c'est que notre système de mondialisation nourrit la polarisation (entre pays qui s'en sortent, Singapour par exemple, et ceux qui s'enfoncent, tel le Brésil), mais aussi l'intégration. En effet, au Nord comme au Sud, les systèmes productifs de chaque pays sont de plus en plus sous la dépendance des forces de mondialisation qui leur sont extérieures et sur lesquelles ils n'ont aucun contrôle. Cours des devises fortes, prix des matières premières, taux d'intérêt, tarifs, normes de commercialisation, autant de contraintes qui pèsent sur les pays pauvres comme sur les pays riches et qui font que leur destin leur échappe. Même les pays du Nord ne peuvent rien contre les pesanteurs économiques qui rendent l'industrie navale asiatique plus compétitive que la leur. Les pays pauvres, eux, sont dans la dépendance des spéculations et aléas du marché mondial qui font que la capacité d'autosubsistance de chaque pays se réduit en fonction des priorités de la production exportatrice, la seule dont on peut espérer obtenir des devises fortes. A cela s'ajoutent des contraintes culturelles. La consommation de pain s'est, par exemple, développée en Afrique Noire, comme signe de modernité et de distinction. C'est un nouvel élément de dépendance pour ces pays qui ne produiront jamais de blé, et sont contraints de l'acheter à l'extérieur, dans les pays du Nord.

— Certains auteurs affirment que le propre des pays du Tiers Monde aujourd'hui serait d'avoir des « Etats mous ». Qu'en pensez-vous ?

Il y a une crise générale de l'Etat. Les Etats sont de plus en plus démunis face à des situations qu'ils contrôlent mal : le chômage, la drogue, la crise médicale, la crise morale de la jeunesse, la crise de la ville, de l'environnement. Ces priorités nouvelles sont transterrestres, couvrent l'ensemble des sociétés humaines et sont indifférentes aux frontières : la drogue, par exemple. La configuration de la société mondiale en Etats accrochés au dogme de la souveraineté territoriale, est inadaptée aux nouvelles priorités de notre époque, comme l'a montré un livre récent de deux auteurs australien[8].

Si la crise de l'Etat est générale, elle a pris des proportions particulièrement graves dans les pays du Sud. L'Etat du Sud ne repose pas sur un socle historique progressivement élaboré. Il a souvent été défini sur une carte avec une règle et un crayon, à l'époque coloniale. En outre, il ne trouve pas en face de lui une société politique disposant d'une culture démocratique, avec une expérience commune, un ensemble de valeurs. Dans les pays du Sud, le lien social ne passe pas par l'Etat, mais par la famille, les solidarités tribales et régionales. L'Etat est donc extérieur à la culture politique de ces sociétés. Il en résulte que les couches dirigeantes de ces pays confondent trop facilement leur intérêt personnel et leur position de responsable à la tête de l'Etat. Ce n'est pas une boutade de rappeler que les comptes numérotés en Suisse représentent une part non négligeable des budgets des Etats en Afrique. L'Etat dans les pays du Sud est donc un Etat fragile par rapport à sa propre société. Il l'est aussi par rapport aux forces internationales et notamment par rapport aux grandes sociétés transnationales. Le grand capitalisme transnational dicte sa loi aux Etats du Sud en toute facilité. Mais, en même temps, les Etats du Sud représentent des relais pour les forces mondiales d'intégration et des structures d'accueil pour les sociétés internationales, pour les réseaux de communication. L'Etat des pays du Sud est donc à

---

8. J. CAMILLERI et J. FALK, *The End of sovereignity ? The politics of shrinking and fragmenting world*, Edward Elgar Publishing Limited, Royaume-Uni, 1992, dont le compte-rendu est paru dans le *Monde diplomatique* de mai 1993, sous le titre « Une crise de souveraineté », sous la plume de J. Chesneaux.

la fois faible et fonctionnel. C'est un intendant, certes aux compétences élargies, mais un intendant docile du système mondial. Dire cela n'est pas manquer de respect aux pays du Sud. Ils n'ont pas les Etats qu'ils méritent.

———

CHAPITRE II

La diversité
des
analyses

∎

La diversité des situations constatées dans le Tiers Monde peut être reliée à la très grande diversité des écoles de pensée en matière de développement. Le débat est vif entre des courants qu'opposent les points de vue idéologiques et théoriques. Ce débat a influé sur les politiques de développement.

C'est surtout après la Seconde Guerre mondiale qu'analystes et gouvernants se sont préoccupés des causes de la croissance et du développement ainsi que des obstacles qu'ils rencontrent dans le Tiers Monde. Cet intérêt tient d'abord à la décolonisation qui a amené au pouvoir des élites locales qui ont formulé des promesses de prospérité économique afin de mobiliser leurs partisans et de vaincre leurs rivaux. Il s'explique aussi par le renforcement des tensions après la guerre entre pays développés capitalistes et pays socialistes, et la crainte de voir les pays pauvres s'engager dans une révolution communiste en raison de leur sous-développement, sous l'influence des Chinois et des Cubains. Le développement d'organisations internationales, telles les Nations unies, avec ses multiples conférences et agences spécialisées et régionales[1], et de l'OCDE, avec son centre de développement, a aussi contribué à la vivacité du débat théorique. Enfin, le développement des mouvements de capitaux entre pays développés et Tiers Monde, ainsi que la prise de conscience de la pauvreté du Tiers Monde, en raison du développement des moyens de communication moderne, ont contribué au regain d'intérêt pour les problèmes du développement auquel on assiste après la guerre.

Parmi toutes ces analyses, on peut éliminer les analyses déterministes qui considèrent le sous-développement comme un phénomène naturel, une fatalité pour les pays situés en zone tropicale, aux sols pauvres, peu dotés de ressources naturelles. Ces analyses ne résistent pas à une étude un peu sérieuse. Il y a des régions tropicales qui appartiennent aux nations industrialisées, telles le Sud des Etats-Unis, le Nord et l'Est de l'Australie, et on trouve des pays du Tiers Monde hors de la zone tropicale, tels le Maghreb, l'Argentine, la Corée du Nord. Quant à la pauvreté en ressources

---

1. CNUCED (Conférence des Nations unies pour le commerce et le développement), UNICEF (Fonds des Nations unies pour l'enfance), FAO (Organisation pour l'agriculture et l'alimentation), CEPAL (Commission économique pour l'Amérique latine), etc.

naturelles, le Brésil, pays du Tiers Monde, est bien mieux doté que le Japon, pays industrialisé.

On retiendra alors trois courants d'analyses. Comme le font C.-P. Oman et G. Wignajara[2], dans leur étude pour le Centre de Développement de l'OCDE, on peut distinguer les approches orthodoxes du développement qui refusent les analyses en termes de centre et de périphérie, et les approches hétérodoxes du développement où l'on classera les auteurs qui mettent en cause le fonctionnement du système capitaliste pour expliquer le sous-développement. Un troisième courant d'analyse met l'accent sur le rôle de la croissance démographique dans le Tiers Monde, à la fois conséquence et facteur du sous-développement de ces pays.

1. Les approches orthodoxes du développement

Une première question a concentré les recherches sur le développement dans les années 50 et 60 : celle de l'accumulation et de l'industrialisation. Ce courant considérait que les pays développés étaient riches parce qu'industrialisés et les pays du Tiers Monde pauvres car dotés d'une économie à dominante agricole. L'étude la plus marquante fut celle de Rostow[3]. Pour Rostow, le développement est un processus

---

2. C.-P. OMAN, G. WIGNAJARA, *L'évolution de la pensée économique sur le développement depuis 1945*, Centre de Développement de l'OCDE, OCDE, Paris, 1991.
3. W.-W. ROSTOW, *Les étapes de la croissance économique*, Le Seuil, Paris, 1970.

historique linéaire qui se déroule en passant par cinq étapes consécutives. Première étape, la société traditionnelle au cours de laquelle l'activité économique est surtout agricole et s'effectue dans le cadre familial, avec des techniques traditionnelles et une faible productivité. Vient ensuite une phase appelée « conditions préalables au décollage » où se développent une épargne et des investissements qui permettent une augmentation de la productivité dans l'agriculture et l'industrie naissante. Troisième phase, le décollage. Il est rendu possible par une augmentation du taux d'investissement (5 à 10 % du revenu national) qui permet aux industries nouvelles de jouer un rôle moteur. Elles bénéficient de nouvelles techniques ainsi que l'agriculture qui, en se modernisant, libère des hommes et des capitaux. Les institutions, les valeurs de la société, les structures économiques, sociales et politiques se modifient pour accompagner la croissance. Quatrième phase, « la marche vers la maturité » prolonge les effets du décollage. Le taux d'investissement s'élève à 20 % du revenu national, les progrès techniques se généralisent. Enfin, la dernière phase est celle de « la société de consommation de masse » : les besoins essentiels de la population sont satisfaits, l'industrie a atteint sa maturité et le secteur des services se développe rapidement, l'Etat-providence prend en charge une protection sociale généralisée. Pour Rostow donc, tous les pays ont suivi et suivent ce cheminement. Alors que les Etats-Unis ont atteint la cinquième phase vers 1920, la France et l'Allemagne à la veille des années 50, et le Japon vers 1955, les pays du Tiers Monde seraient sur le chemin qui les mènera à cette phase. Selon Rostow, par exemple, la Turquie, l'Argentine et le Mexique ont commencé leur décollage juste avant la guerre de 1939-1945, la Chine et l'Inde dans les années 50.

Cette étude a eu une portée très importante car elle mettait l'accent sur l'industrialisation, sur la relation entre investissement en capital et croissance économique et sur le lien entre croissance économique et développement général de la société. Elle regroupait ou abordait bon nombre des idées et des politiques proposées dans les années 50 et 60.

La théorie de Rostow a été l'objet de très nombreuses critiques. On lui a reproché de présenter une vision unique du développement et de ne tenir aucun compte des relations entre Etats. Les principales critiques ont émané de l'école de la dépendance et des marxistes. A. Gunder Frank[4], par exemple, précise que les pays européens au XVIIIe siècle étaient « non développés » mais pas « sous-développés », comme le sont aujourd'hui les pays du Tiers Monde. Les pays du Tiers Monde se trouvent soumis à la domination des pays développés, ce qui n'était pas le cas de l'Europe lors de son décollage.

Un second courant a mis l'accent sur une caractéristique des économies des pays en développement : le dualisme économique, technique et socioculturel[5]. Dans ces pays coexistent un secteur capitaliste moderne et un secteur traditionnel. Le premier rassemble les filiales des FMN et les grandes plantations qui emploient une main-d'œuvre salariée, qui vendent leurs produits avec une marge bénéficiaire et qui utilisent des techniques modernes. Le second se compose d'entreprises individuelles ou familiales dans lesquelles la productivité est extrêmement faible. Les travailleurs de ce secteur consomment la totalité de leur production. Les salaires dans le secteur capitaliste sont légèrement supérieurs aux revenus de subsistance du secteur traditionnel afin d'inciter

---

4. A. Gunder FRANK, *Le développement du sous-développement*, Maspéro, Paris.
5. W.-A. LEWIS « *Economic development with unlimited supplies of labour*» », The Manchester School of Economic Social Studies, mai 1954 et « Où en est l'économie du développement ? », in *Problèmes de Sciences économiques*, n° 1877, juin 1984.

Le cercle vicieux de la pauvreté

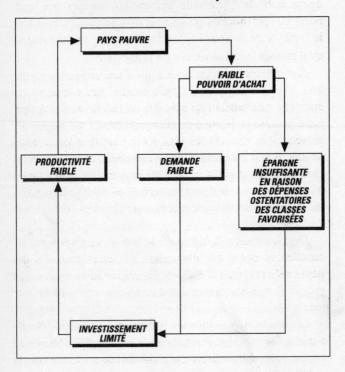

une migration de la main-d'œuvre. Le secteur capitaliste va peu à peu se développer jusqu'à ce que la migration de la main-d'œuvre excédentaire du secteur traditionnel soit achevée et les salaires vont alors y augmenter.

La théorie de Lewis a été à son tour le point de départ de nombreuses interprétations. Pour Lewis, le dualisme est une étape du développement. Pour d'autres, comme Nurkse[6], le

---

6. R. NURKSE, *Les problèmes de la formation du capital dans les pays sous-développés*, Cujas, Paris, 1968.

dualisme est un facteur de blocage. Les secteurs les moins dynamiques de l'économie freinent les secteurs qui pourraient être potentiellement les plus dynamiques, en raison de la faible taille du marché. Nurkse met ainsi en évidence ce qu'il appelle le cercle vicieux de la pauvreté.

A ce schéma montrant la nécessité d'une croissance équilibrée s'oppose la vision de Hirschmann[7] qui considère, au contraire, que le dualisme peut être un facteur de développement puisque la création de déséquilibres est un moyen d'y parvenir. Les secteurs les plus actifs vont tirer les secteurs passifs. Il faut encourager les investissements dans les branches dont les produits servent de moyens de production à d'autres ou dans celles dont les besoins en moyens de production représentent des débouchés pour d'autres qui existent dans le pays.

Dans les années 60, la Banque Mondiale s'appuiera sur ces conclusions quand elle demandera aux gouvernements des pays du Tiers Monde d'élaborer des plans nationaux avec des projets d'investissement comme condition pour obtenir une aide.

La plupart de ces théories insistaient tant sur le rôle de l'industrialisation que bon nombre de pays du Tiers Monde en ont fait leur priorité absolue, et s'en sont remis à l'idée que les « retombées » de cette industrialisation bénéficieraient à tous et réduiraient la pauvreté. Les analyses plus récentes accordent davantage d'attention au développement d'une agriculture moderne. A l'occasion de la crise des années 80, l'agriculture a joué un rôle modérateur, en augmentant l'excédent commercial et en exerçant une pression à la baisse sur les prix alimentaires et l'inflation, tout en soutenant l'emploi et les revenus dans les zones rurales.

---

7. A.-O. HIRSCHMANN, *La stratégie du développement économique*, Editions ouvrières, Paris, 1964.

A partir des années 80, la pensée orthodoxe triomphe avec le renouveau néoclassique qui impose comme un dogme l'idée que le développement passe par l'ouverture de l'économie. Les fondements de cette analyse se trouvent chez Ricardo et aussi chez Heckscher et Ohlin[8].

Pour Ricardo, dans l'échange international, chaque pays a intérêt à se spécialiser dans la production et l'exportation des biens pour lesquels il bénéficie comparativement d'une productivité du travail plus élevée que ses partenaires, et à leur acheter les biens dont il abandonne la production parce qu'il est comparativement moins productif qu'eux (théorie des avantages comparatifs). Heckscher et Ohlin ont élaboré, dans les premières décennies du XXᵉ siècle, un modèle qui constitue la version néoclassique de la théorie des avantages comparatifs. Leur modèle prend en compte non plus la productivité du travail mesurée en heures comme chez Ricardo mais les deux facteurs de production, travail et capital. Ils partent d'un certain nombre d'hypothèses : les fonctions de production sont différentes selon les produits, mais identiques pour tous les pays pour chaque produit ; il n'y a aucun obstacle aux échanges et tous les marchés sont des marchés de concurrence parfaite. Ils arrivent à la conclusion que tous les pays bénéficient de la croissance des échanges et que chaque pays a intérêt à exporter des biens dont la production fait appel de manière intensive au facteur de production dont le pays dispose en abondance. Les échanges vont favoriser une égalisation des prix relatifs des facteurs entre les pays. Donc, les pays en développement qui disposent d'une main-d'œuvre abondante doivent se concentrer sur la production de produits primaires et de biens à forte intensité de main-d'œuvre, et les

---

8. Sur les thèses de ces auteurs, on peut consulter utilement *Le dictionnaire d'économie et de sciences sociales*, de C.-D. ECHAUDEMAISON, Nathan, 1993.

échanger contre des produits importés à forte intensité capitalistique. L'égalisation des prix relatifs des facteurs se traduira par une hausse des salaires réels et une baisse des coûts du capital.

Ces théories vont dominer l'orientation des politiques des organisations internationales. Elles vont inciter les pays du Tiers Monde à abandonner les stratégies d'industrialisation par substitution aux importations, qui s'appuyaient sur le protectionnisme et une forte intervention de l'Etat (voir chapitre III) pour s'orienter vers une industrialisation orientée vers l'exportation. Elles préconisent l'abandon des productions nationales trop coûteuses pour se centrer sur celles pour lesquelles le pays jouit de certains avantages. Elles encouragent la suppression des contrôles administratifs (pour laisser jouer librement les mécanismes du marché) et l'ouverture large des frontières (pour favoriser les exportations et les importations de machines, demi-produits et produits alimentaires moins coûteux que les productions nationales). Ce sont ces principes que la Banque Mondiale et le FMI vont imposer aux pays débiteurs du Tiers Monde, en particulier l'Afrique subsaharienne, dans les années 80, dans le cadre des plans d'ajustement structurel (voir chapitre VI). Le modèle proposé est celui des « quatre dragons » qui sont censés avoir fondé leur réussite uniquement sur le développement des exportations et le libre-échange. Or, de nombreux auteurs ont montré que les échanges ne sont pas le moteur mais l'auxiliaire de la croissance et que la réussite des « quatre dragons » tient aussi très largement au fait qu'ils ont su protéger leur agriculture, qu'ils ont donné une forte priorité à l'éducation et à la formation de la main-d'œuvre, et à la recherche-développement, qu'ils ont bénéficié d'importants apports de capitaux des Etats-Unis et du Japon, qu'enfin l'Etat y a mené une intervention active pour orienter les investissements et les favoriser.

2. L'approche hétérodoxe
du développement

On peut y distinguer trois courants théoriques : les structuralistes, l'école de la dépendance et les néo-marxistes. A l'inverse du courant orthodoxe, ces auteurs insistent sur l'idée qu'on ne peut comprendre le sous-développement si on ne prend pas en compte sa relation avec le développement des pays capitalistes industrialisés.

Les structuralistes ont mis l'accent sur cette relation. F. Perroux[9] insistait sur « l'effet de domination, ce rapport entre inégaux qui se constate entre agents, entre firmes, entre nations et qui se lie à un effet de dimension, de provisions de biens initiaux » Il insistait aussi sur les déséquilibres du sous-développement : il montrait que le développement de « pôles de croissance » autour d'industries motrices perturbait les sociétés traditionnelles, ruinant les petites entreprises artisanales, et ajoutait que, pour dépasser cet effet déstabilisateur, il fallait faire porter les efforts d'investissement vers des secteurs à fort effet de diffusion dans le reste de l'économie (par les revenus distribués, l'échange de matières premières, de biens intermédiaires ou de biens d'équipement).

Ces idées se retrouvent dans les analyses d'un groupe d'auteurs réunis autour de la CEPAL, dans le cadre des Nations unies, en particulier R. Prebisch[10] et H. Singer. Prebisch oppose les pays du centre où les structures de production sont homogènes (avec des techniques modernes généralisées) et diversifiées (gamme de production étendue), aux pays de la périphérie où les structures de production sont hétérogènes

---

9. F. Perroux, *L'économie du vingtième siècle*, PUF, Paris, 1961.
10. R. Prebisch, « Le développement de l'Amérique latine et ses principaux problèmes », in *Economic Bulletin of Latin America*, Nations unies, numéro du 7 février 1962.

(secteur de production archaïque/ secteur de production moderne) et spécialisées sur un petit nombre de produits primaires. Cette hétérogénéité et cette spécialisation engendrent un chômage chronique, un déficit extérieur récurrent et une détérioration des termes de l'échange[11]. Les taux de développement entre le centre et la périphérie restent inégaux, les disparités de progrès technique subsistent et l'écart des revenus entre les pays ne diminue pas voire augmente.

Pour les théoriciens de la CEPAL, il faut, pour échapper à cette situation, favoriser une industrialisation soutenue par l'Etat à travers une planification et une coordination des investissements. Ils se situent dans un cadre keynésien où l'Etat intervient largement. Ils estiment en outre qu'il faut protéger les industries nouvelles contre les importations, car leur productivité est faible au départ, et recourir à des processus d'intégration régionale, pour pallier l'étroitesse du marché national.

La CEPAL va donc préconiser, dans ce cadre, une industrialisation par substitution aux importations (voir chapitre III). Mais, dans les années 60, cette stratégie semble bloquée. Elle bute sur une augmentation des importations des biens intermédiaires et de biens d'équipement, la diversification de l'industrie ne s'opérant pas bien, et sur l'étroitesse du marché national, la pauvreté ne reculant pas assez. La CEPAL met alors davantage l'accent sur la nécessité d'une réforme agraire et d'une redistribution des revenus.

Un deuxième courant, l'école de la dépendance va se développer, d'abord en Amérique latine, contre les limites des analyses de la CEPAL et surtout contre l'analyse de

---

11. Termes de l'échange : rapport de l'indice des prix des produits exportés à l'indice des prix des produits importés. Si le rapport est supérieur à 100, cela signifie que le prix des produits que le pays vend à l'étranger augmente plus rapidement que le prix des produits qu'il importe, c'est-à-dire que les termes de l'échange sont positifs.

Rostow. C. Furtado[12] insiste sur les contraintes de marché auxquelles est confronté le développement capitaliste dans la périphérie. Il affirme que la stratégie d'industrialisation par substitution aux importations n'a pas réduit la dépendance mais l'a aggravée. Les classes dominantes veulent consommer les mêmes biens que les élites des pays développés. Or, la production de ces biens est très capitalistique. On a donc substitué aux importations de « biens de luxe » des importations plus nécessaires de biens d'équipement et de technologie. Pour financer ces importations, le pays est devenu encore plus dépendant de ses exportations de produits primaires. Le développement apparaît donc bloqué. On ne peut considérer qu'il y a développement quand la croissance s'accompagne d'une dégradation de la distribution des revenus, de l'absence d'augmentation du bien-être social, d'une création d'emplois inférieure à la croissance démographique et du maintien des structures politiques, économiques, sociales et culturelles caractéristiques du sous-développement.

Pour Furtado, le sous-développement n'est pas un stade par lequel passent tous les pays, comme le prétend Rostow, mais un processus historiquement autonome qui reflète l'expansion des pays capitalistes développés à la recherche de matières premières et de main-d'œuvre à bon marché.

A. G. Franck[13] va plus loin que C. Furtado. Pour lui, le développement économique de la périphérie est contraire aux intérêts des groupes dominants des pays capitalistes développés. Ceux-ci s'allient aux élites pré-capitalistes locales et aux grands propriétaires fonciers pour maintenir les structures agraires traditionnelles qui permettront d'assurer une nourriture bon marché, gage de bas salaires. L'investissement étranger, l'aide, le commerce servent à extraire un surplus qui

---

12. C. FURTADO, *Théorie du développement économique*, PUF, Paris, 1970.
13. A. G. FRANCK, *L'acccumulation dépendante*, Anthropos, Paris, 1978.

est confisqué par le capital étranger ou gaspillé par les élites locales pour acheter des produits de luxe. L'introduction du capitalisme dans ces économies conduit ainsi au « développement du sous-développement ». A. G. Franck en conclut que la structure sociale de ces pays empêche tout développement grâce à l'action d'une bourgeoisie locale, et qu'une révolution socialiste est nécessaire pour sortir du sous-développement.

On est donc là dans une analyse très proche de celle des marxistes, même si elle a subi les feux de la critique des marxistes orthodoxes. Très proches aussi des marxistes, on trouve A. Emmanuel[14] et S. Amin. Le premier, reprenant les thèses de R.-M. Marini, explique que si l'évolution des prix internationaux est défavorable à la périphérie, c'est en raison du différentiel de salaires entre le centre et la périphérie. Les salaires sont très bas dans la périphérie parce que le secteur pré-capitaliste[15] y fournit de la nourriture à bas prix. Les produits vendus par la périphérie sont donc moins chers, ce dont profitent les capitalistes mais aussi les salariés des économies du centre. L'extorsion de ce surplus dans la périphérie permet aux capitalistes d'accepter de céder aux salariés du centre, sous forme d'augmentations de salaires, une partie des gains de productivité réalisés,

S. Amin[16] étudie la dépendance en Afrique. Il montre que la périphérie, dans la phase de capitalisme monopolistique qui s'est développée au XXe siècle, joue un double rôle : elle fournit des exportations bon marché et assure un taux de profit élevé aux capitaux expatriés du centre grâce à l'exploitation d'une main-d'œuvre à bon marché. Ceci permet de

---

14. A. EMMANUEL, *L'échange inégal. Essai sur les antagonismes dans les rapports économiques internationaux*, Maspéro, 1969.
15. Il rassemble les activités agricoles traditionnelles, l'artisanat et le petit commerce.
16. S. AMIN, *L'accumulation à l'échelle mondiale. Critique de la théorie du sous-développement.*, Anthropos, Paris, 1970.

pallier le déclin du taux de profit dans les pays du centre.

Ainsi se maintient dans la périphérie un processus d'accumulation extraverti et désarticulé, puisque la production n'est pas soutenue par la demande intérieure mais orientée vers la satisfaction des besoins du centre. Pour ces auteurs, le sous-développement des uns est donc le produit du développement des autres. Ils minimisent les possibilités de développement en raison de l'alliance des classes dominantes de ces pays avec le capital étranger.

L'école de la dépendance est très proche du marxisme. Bien que Marx ait peu écrit sur le sous-développement, il voyait dans la tendance à la baisse du taux moyen de profit une puissante incitation à l'exportation de capitaux vers les sociétés pré-capitalistes, donc au pillage des richesses et à l'esclavage dans ces sociétés. Mais il considérait que le colonialisme était voué à la disparition et devait céder la place au développement du marché mondial. Dans *L'Impérialisme, stade suprême du Capitalisme*, Lénine observait que l'accumulation d'excédents financiers dans les pays développés, en raison de la pénurie de possibilités d'investissements « profitables », encourageait l'exportation de ces excédents vers les pays moins développés où s'offraient des possibilités d'investissements plus rentables.

Après la Seconde Guerre mondiale, on voit s'opposer deux courants d'analyse : l'école du sous-développement avec Baran et Sweezy[17], très proches de l'école de la dépendance, et les marxistes orthodoxes comme M. Dobb. Pour les premiers, c'est l'extorsion du surplus (à travers le pillage des matières premières, le rapatriement des profits dégagés par les investissements commerciaux financiers et industriels, et l'échange inégal) qui crée le sous-développement.

---

17. P. BARAN, *Economie politique de la croissance*, Maspéro, Paris, 1970.

Pour les marxistes orthodoxes comme Dobb et Laclau, les principales causes du sous-développement résident dans les structures internes de classes qui retardent ou bloquent le développement. Pour eux, le capitalisme peut assurer un développement rapide des forces productives dans le Tiers Monde grâce au développement des investissements des FMN associés à des entreprises locales, mais ce développement repose sur une structure interne de classes telle que la majorité de la population ne bénéficie pas d'une amélioration de son niveau de vie. Cette situation perpétue le sous-développement pendant une longue période, d'autant plus que le secteur précapitaliste est un obstacle au développement capitaliste[18], car les coûts salariaux y sont plus élevés qu'on ne le penserait au premier abord, en raison de la très faible productivité qui y prévaut.

Depuis le début des années 80, le recul du tiers-mondisme, souvent caricaturé, la marginalisation des analyses structuralistes et marxistes a fait perdre à l'économie du développement sa diversité et sa richesse (voir pp. 60-63).

Les thèses néoclassiques se sont imposées au nom d'une soi-disant supériorité spécifique et opérationnelle du modèle libéral. Pourtant, l'ouverture des économies, les privatisations, l'ajustement structurel qu'elles ont préconisés, n'ont pas empêché l'accroissement de l'écart entre pays développés et pays du Tiers Monde au cours des années 80. L'Afrique subsaharienne, en dépit de son obéissance aux injonctions du FMI et de la Banque Mondiale, s'enfonce dans le sous-développement, et le modèle des « quatre dragons » asiatiques ne semble pas généralisable. Or, ce « mono-économisme »

---

18. Sur ce point, les marxistes orthodoxes s'opposent à l'école de la dépendance. Celle-ci considérait qu'en fournissant de la nourriture très bon marché, le secteur précapitaliste favorisait l'arrivée de capitaux étrangers, attirés par les bas salaires. Les capitalistes étrangers s'appropriaient le surplus ainsi créé.

Les principales analyses

Classiques et néo-classiques	Ecole du dualisme	Structuralistes
Principaux thèmes	*Principaux thèmes*	*Principaux thèmes*
• Le retard des pays du TM. • La croissance passe par la participation aux échanges internationaux. • Les pays du TM doivent se spécialiser en fonction de leurs avantages respectifs (ressources naturelles et main-d'œuvre). • Ils doivent éliminer les obstacles aux échanges et laisser jouer librement les règles du marché (diminuer les interventions de l'Etat).	• L'économie des pays du TM est victime de blocages en raison de son dualisme. • Existence de cercles vicieux de la pauvreté. • Recherche de stratégies d'accumulation et d'industrialisation pour dépasser les blocages.	• Hiérarchisation des relations économiques entre le centre et la périphérie. • Structures productives hétérogènes et trop spécialisées qui empêchent la mise en place de liens interindustriels dynamiques. • Le libre jeu du marché ne permet pas le développement.

du sous-développement

Ecole de la dépendance	Marxistes
Principaux thèmes	*Principaux thèmes*
• Le sous-développement des uns est le produit du développement des autres. • La division internationale du travail est responsable du sous-développement avec la dégradation des termes de l'échange et le pillage du TM. • Les efforts d'industrialisation des pays du TM augmentent leur dépendance car leur accumulation est extravertie et désarticulée (la demande intérieure n'y augmente pas).	• La baisse tendancielle des taux de profit dans les pays du centre induit des exportations de capitaux vers les pays du TM. • Les pays du centre extorquent le surplus du TM par le pillage, l'échange inégal. • L'existence d'un secteur précapitaliste est un obstacle au développement du TM. • L'alliance des classes précapitalistes avec la bourgeoisie du centre bloque le développement.

Classiques et néo-classiques	Ecole du dualisme	Structuralistes
Principaux auteurs	*Principaux auteurs*	*Principaux auteurs*
Les « ancêtres » : D. Ricardo et A. Smith. **Les contemporains :** E.-F. Heckscher, B. Ohlin, P. Samuelson, W.-W. Rostow, les spécialistes du FMI et de la Banque Mondiale.	W.-A. Lewis, R. Nurkse, G. Myrdal, A.-O. Hirschmann, Rosenstein-Rodan.	F. Perroux, G. Destanne de Bernis. **Les auteurs de la** CEPAL : R. Prebisch, H.-W. Singer.

(Hirschmann) néoclassique prive les nouvelles générations de chercheurs de la pluralité des approches théoriques, qui pourrait revivifier les analyses du développement et les propositions qui peuvent en sortir.

3. Croissance démographique et développement

Un certain nombre d'auteurs lient le sous-développement des pays du Tiers Monde à leur forte croissance démographique. En l'an 2000, il y aura 6, 25 milliards d'êtres humains

Ecole de la dépendance	Marxistes
Principaux auteurs	*Principaux auteurs*
C. Furtado, A.-G. Frank, S. Amin, A. Emmanuel.	**Les ancêtres :** Marx, Lénine, Rosa Luxemburg. **Les contemporains :** P. Baran, P. Sweezy, C. Bettelheim, M. Dobb.

sur la Terre : 95% de cet accroissement se produira dans la partie du monde la plus pauvre (voir graphique p. 64).

Le Tiers Monde, qui représentait les deux tiers de la population mondiale en 1950 et 77% en 1990, représentera 80% de celle-ci en l'an 2000. La Chine et l'Inde regroupent déjà plus de 35% des habitants de la planète, l'Asie en représentant plus de la moitié.

Cette accélération de la croissance démographique témoigne du fait que le Tiers Monde est aujourd'hui dans la période de transition démographique. Les démographes désignent ainsi la période qui marque le passage d'un régime démographique traditionnel, avec un taux de mortalité et un taux de

Population actuelle et prévision
pour 2100

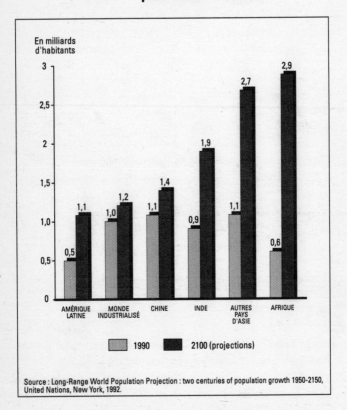

En milliards
d'habitants

	AMÉRIQUE LATINE	MONDE INDUSTRIALISÉ	CHINE	INDE	AUTRES PAYS D'ASIE	AFRIQUE
1990	0,5	1,0	1,1	0,9	1,1	0,6
2100 (projections)	1,1	1,2	1,4	1,9	2,7	2,9

Source : Long-Range World Population Projection : two centuries of population growth 1950-2150, United Nations, New York, 1992.

natalité très élevés, à un régime démographique moderne avec des taux de natalité et de mortalité faibles. Pendant la période de transition démographique que connaissent aujourd'hui de nombreux pays du Tiers Monde, et qu'ont connu la France et la Grande-Bretagne au XIXᵉ siècle, la mortalité baisse tandis que la natalité se maintient à un niveau élevé. Les pays du Tiers Monde, au cours du XXᵉ siècle et

Accroissement de la population des pays développés et des pays en développement

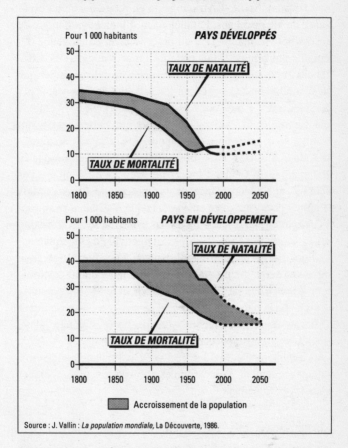

Pour 1 000 habitants — *PAYS DÉVELOPPÉS*

Pour 1 000 habitants — *PAYS EN DÉVELOPPEMENT*

TAUX DE NATALITÉ

TAUX DE MORTALITÉ

Accroissement de la population

Source : J. Vallin : *La population mondiale*, La Découverte, 1986.

surtout depuis 1945, ont considérablement amélioré leur situation sanitaire. Grâce aux campagnes de vaccination, au développement des dispensaires et des antibiotiques, grâce aussi au développement économique, le taux de mortalité infantile a considérablement chuté (il est passé en Afrique de

450 ‰ au début du siècle à 95 ‰) et l'espérance de vie s'est allongée (un sud-américain vit en moyenne 68 ans, un asiatique 65 ans). Seule, l'Afrique reste en retard avec une espérance de vie de 53 ans. Parallèlement, l'indice synthétique de fécondité[19] se maintient à un niveau élevé, en moyenne 3,9 enfants par femme. Mais cette moyenne recouvre des différences importantes. En 1993, la Chine a un indice synthétique de fécondité de 2 (alors qu'en 1963, il était de 7,5 enfants par femme), mais l'Inde, sa voisine, compte encore 3,7 enfants par femme et le Pakistan 6,1. Alors que certains pays ont achevé leur transition (Singapour, les « quatre dragons » d'Asie), d'autres sont bien avancés : la Thaïlande, la Malaisie, le Sri Lanka, l'Indonésie, avec 2,4 à 2,8 enfants par femme, et une espérance de vie proche de 65 ans. Mais d'autres l'ont tout juste entamée, tels le Viêt-Nam et surtout l'Afrique subsaharienne : l'indice synthétique de fécondité est de 6,4 au Rwanda, 7,1 au Malawi et 7,2 en Ouganda.

Il y a une corrélation entre le taux de fécondité, l'espérance de vie et le niveau du PIB. Les pays où la fécondité a le plus baissé sont ceux où l'espérance de vie et le PIB ont connu la croissance la plus vive. Mais quel rapport y a-t-il exactement entre les deux phénomènes ? La théorie économique s'est, depuis longtemps, penchée sur cette question.

Au XVIIIe siècle, Malthus écrivait que, si la population croît géométriquement, les ressources alimentaires n'augmentent qu'arithmétiquement[20]. La croissance de la population ne

---

19. Il mesure le nombre moyen d'enfants auxquels les mères donneraient le jour si les générations futures avaient le même taux de fécondité par âge que les générations actuelles. Il est égal à la somme des taux de fécondité pour chaque âge (de 15 à 49 ans) établis pour une année donnée. Le taux de fécondité par âge est le rapport du nombre des naissances survenues chez les femmes d'un groupe d'âge donné, à l'effectif des femmes de ce même groupe d'âge.

20. Si les nombres 2, 4, 6, 8, 10 sont en progression arithmétique, les nombres 2, 4, 8, 16 et 32 sont en progression géométrique.

peut être ramenée à un rythme compatible avec les subsistances disponibles que par la surmortalité due aux guerres, aux épidémies et aux famines. Il en concluait qu'il fallait limiter les naissances, surtout celles des pauvres, incapables d'assurer la subsistance de leur progéniture. Sa thèse n'a pas été confirmée puisque la croissance des subsistances a été plus rapide qu'il ne l'avait prévue mais elle alimente toujours les grandes peurs des pays nantis face à la croissance démographique du Tiers Monde.

A l'inverse, Boserup[21] insistait, en 1965, sur les avantages d'une croissance de la population qui exerçait « une pression créatrice ». La pression démographique engendre un changement des modes de culture vers une agriculture plus intensive et stimule l'innovation technologique.

Le lien entre développement et fécondité est un lien complexe. Les pays les plus pauvres sont effectivement ceux où la fécondité est la plus élevée. Les familles ont de nombreux enfants parce qu'elles sont pauvres (voir p. 68). Elles compensent ainsi la forte mortalité infantile qu'il faut contrer, car les enfants assumeront plus tard la charge de leurs parents âgés que ne protège aucun système de protection sociale. De plus, le coût des enfants est peu élevé car leur scolarité est réduite, alors que leur travail est précieux, que ce soit pour les corvées d'eau ou de bois, ou par le salaire d'appoint qu'ils apportent grâce à leur travail dans les ateliers artisanaux (usines de tissage de tapis, briqueteries en Inde ou au Pakistan, par exemple), ou dans le secteur informel (vente de chewing-gum ou de journaux dans les rues, prostitution, trafic de drogue).

Mais une fécondité élevée représente un frein au développement puisque les créations d'emplois sont insuffisantes

---

21. En 1965, la thèse d'Ester Boserup analyse les avantages de la croissance démographique, en réaction contre la domination de la pensée néomalthusienne qui se généralise.

Indicateurs socio-économiques

Pays	Indice synthétique de fécondité 1993	Mortalité juvénile (moins de 5 ans) (‰) 1992	Espérance de vie à la naissance 1993	Taux d'alphabétisation des adultes 1992	PNB par habitant en $ 1993	Taux de croissance annuel du PNB/hab. 1980-1993
Niger	7,3	320	47	28	270	- 4,1
Rwanda	6,4	222	46	50	210	- 1,2
Madagascar	6	168	57	80	220	- 2,6
Inde	3,7	124	61	48	300	3
Corée du Sud	1,7	9	71	96	7 660	8,2
Mexique	3,1	33	71	87	3 610	- 0,5
Malaisie	3,5	19	71	78	3 140	3,5
Cuba	1,8	12	75	94,9	1 170	–

(Source : Banque Mondiale-ONU, 1995)

Planification familiale

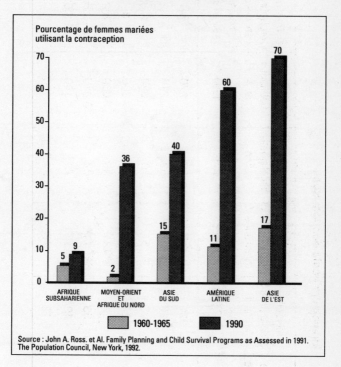

Pourcentage de femmes mariées utilisant la contraception

☐ 1960-1965   ■ 1990

Source : John A. Ross. et Al. Family Planning and Child Survival Programs as Assessed in 1991. The Population Council, New York, 1992.

pour absorber le surcroît d'actifs qui en résulte. Le chômage élevé fait pression sur les salaires et concourt à la pauvreté. A la campagne, le nombre de paysans sans terres augmente, ce qui favorise un exode rural incontrôlé et alimente le chômage urbain. Les investissements sanitaires, éducatifs et sociaux absorbent les maigres ressources des Etats qui ne peuvent aider au financement des investissements productifs. L'UNICEF rend compte de cette situation par ce qu'elle appelle la spirale PPE : pauvreté, population, environnement (voir pp. 70-71).

La spirale pauvreté,

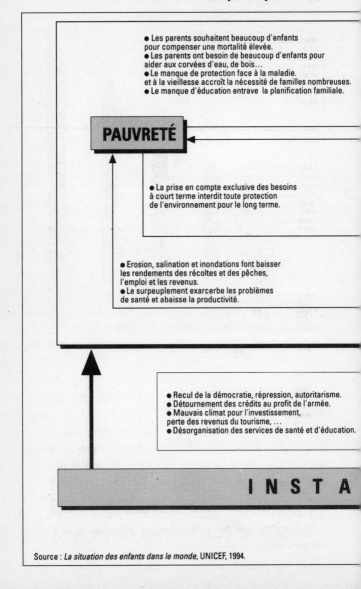

- Les parents souhaitent beaucoup d'enfants pour compenser une mortalité élevée.
- Les parents ont besoin de beaucoup d'enfants pour aider aux corvées d'eau, de bois...
- Le manque de protection face à la maladie. et à la vieillesse accroît la nécessité de familles nombreuses.
- Le manque d'éducation entrave la planification familiale.

PAUVRETÉ

- La prise en compte exclusive des besoins à court terme interdit toute protection de l'environnement pour le long terme.

- Erosion, salination et inondations font baisser les rendements des récoltes et des pêches, l'emploi et les revenus.
- Le surpeuplement exacerbe les problèmes de santé et abaisse la productivité.

- Recul de la démocratie, répression, autoritarisme.
- Détournement des crédits au profit de l'armée.
- Mauvais climat pour l'investissement, perte des revenus du tourisme, ...
- Désorganisation des services de santé et d'éducation.

I N S T A

Source : *La situation des enfants dans le monde*, UNICEF, 1994.

population, environnement

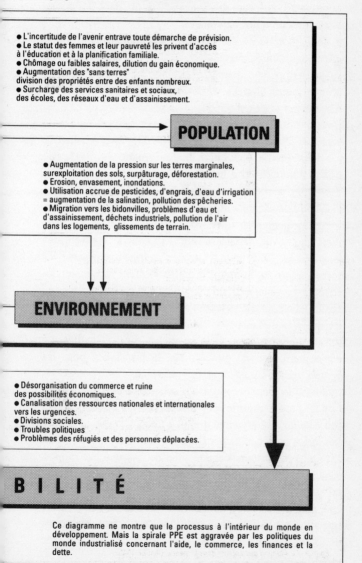

- L'incertitude de l'avenir entrave toute démarche de prévision.
- Le statut des femmes et leur pauvreté les privent d'accès à l'éducation et à la planification familiale.
- Chômage ou faibles salaires, dilution du gain économique.
- Augmentation des "sans terres" division des propriétés entre des enfants nombreux.
- Surcharge des services sanitaires et sociaux, des écoles, des réseaux d'eau et d'assainissement.

POPULATION

- Augmentation de la pression sur les terres marginales, surexploitation des sols, surpâturage, déforestation.
- Erosion, envasement, inondations.
- Utilisation accrue de pesticides, d'engrais, d'eau d'irrigation = augmentation de la salination, pollution des pêcheries.
- Migration vers les bidonvilles, problèmes d'eau et d'assainissement, déchets industriels, pollution de l'air dans les logements, glissements de terrain.

ENVIRONNEMENT

- Désorganisation du commerce et ruine des possibilités économiques.
- Canalisation des ressources nationales et internationales vers les urgences.
- Divisions sociales.
- Troubles politiques
- Problèmes des réfugiés et des personnes déplacées.

BILITÉ

Ce diagramme ne montre que le processus à l'intérieur du monde en développement. Mais la spirale PPE est aggravée par les politiques du monde industrialisé concernant l'aide, le commerce, les finances et la dette.

Devant cette situation, la plupart des pays du Tiers Monde se sont lancés, au cours des années 50 et 60, dans des politiques de limitation des naissances.

L'Inde, pionnière en ce domaine, a encouragé l'utilisation de méthodes contraceptives et lancé une politique de stérilisation, qui, mal perçue, a entraîné la chute du gouvernement de Madame Indira Gandhi en 1977. L'indice synthétique de fécondité y a certes diminué, mais reste encore élevé : 3,7 enfants par femme. Comme le nombre de femmes en âge de procréer est élevé, les démographes ont dû relever à la hausse les estimations de population la concernant. En 1993, elle comptait 898 millions d'habitants.

La Chine a refusé longtemps cette politique sous l'influence de Mao Zedong qui soutenait que, plus nombreux, les Chinois seraient plus forts. Au début des années 1970, la Chine amorce un virage en encourageant le contrôle des naissances. En 1979, cette politique s'avérant insuffisante, les autorités imposent le mot d'ordre de l'enfant unique, en accordant des avantages économiques et éducatifs, des aides au logement, un contrôle strict des couples, et des pénalités pour ceux qui n'obéissaient pas... La Chine n'a pas mesuré ses efforts pour y parvenir. Cela ne va pas sans difficultés. Le modèle confucéen de piété filiale, la préférence pour les garçons, traditionnelle dans la société chinoise, pousse les familles où la première naissance est celle d'une fille à avoir un second enfant, quitte à ne pas déclarer le premier enfant jusqu'à ce qu'il soit en âge d'aller à l'école, et que la famille se résigne à acquitter les pénalités prévues. Par ailleurs, il naît en Chine proportionnellement plus de garçons par rapport aux naissances de filles que dans les autres pays, ce qui révèle l'existence d'un infanticide des filles ou au moins des avortements plus nombreux quand la naissance annoncée est celle d'une fille. Le succès de la politique de l'enfant unique est plus grand dans les villes qu'à la campagne, qui regroupe

80 % de la population chinoise et où il n'y a pas encore de système de retraite. Le dernier recensement révèle que seulement 20 % des familles n'ont qu'un seul enfant, mais ce qui frappe, c'est la rapidité de la progression des enfants uniques qui pose et va poser des problèmes de société à la Chine. Quels adultes vont devenir ces enfants choyés, ces « petits empereurs » comme les nomment les Chinois, lorsqu'ils devront assumer des responsabilités ? La Chine a tout de même réussi à faire tomber son indice synthétique de fécondité à 2 enfants par femme, mais l'augmentation de la population chaque année reste encore élevée en raison du grand nombre de femmes en âge d'avoir des enfants.

En Amérique latine, l'utilisation de méthodes contraceptives, largement répandues dans les années 80, a permis de réduire l'indice synthétique de fécondité qui atteint 3 enfants par femme en moyenne (4,7 en Bolivie, 3,1 au Mexique, mais 2,8 au Brésil et 2,5 au Chili). En revanche, les programmes destinés à ralentir les naissances se sont révélés assez inefficaces dans la plupart des pays africains. La fécondité a certes diminué dans quelques pays (-2,8 et -2,4 naissances par femme entre 1970 et 1993 au Kenya et au Zimbabwe), mais l'indice synthétique de fécondité atteint encore 4,9 pour le premier et 5,2 pour le second. Pour une dizaine de pays africains, selon la FAO, la population dépasse déjà les capacités de production alimentaire, compte tenu des techniques agricoles existantes. Les experts se sont interrogés sur les piètres résultats de ces politiques. Les études montrent que ces mesures se heurtent à la situation économique[22], aux traditions culturelles et à une organisation sociale enracinée. En Afrique, le système du lignage dégage les familles, et les pères en particulier, d'une partie de la responsabilité et du

---

22. On peut rappeler ici le slogan de la Conférence de Bucarest, en 1974 :
    « La meilleure pilule, c'est le développement. ».

Chute de la fécondité

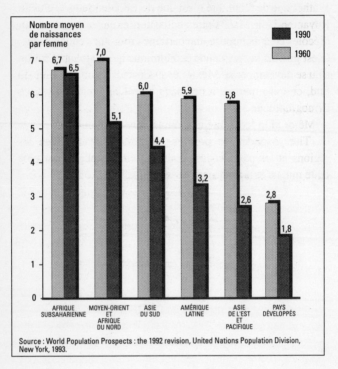

Nombre moyen de naissances par femme

■ 1990
□ 1960

	AFRIQUE SUBSAHARIENNE	MOYEN-ORIENT ET AFRIQUE DU NORD	ASIE DU SUD	AMÉRIQUE LATINE	ASIE DE L'EST ET PACIFIQUE	PAYS DÉVELOPPÉS
1960	6,7	7,0	6,0	5,9	5,8	2,8
1990	6,5	5,1	4,4	3,2	2,6	1,8

Source : World Population Prospects : the 1992 revision, United Nations Population Division, New York, 1993.

coût de l'enfant. De plus, la coutume attribue les terres les plus vastes aux familles les plus nombreuses. Les experts insistent aussi sur la forte corrélation entre le niveau d'éducation des femmes et leur taux de fécondité. Les femmes ougandaises, par exemple, ont en moyenne 7,2 enfants, leur taux d'alphabétisation est à peine de 35%, et seulement 8% d'entre elles sont inscrites dans une école d'enseignement secondaire. Les résultats obtenus en Amérique latine et dans certains pays asiatiques, comme le Sri Lanka, confirment cette thèse. A Cuba, où 93% des femmes sont alphabétisées et où 94% des filles fréquentent une école secondaire, l'indice synthétique de fécondité n'est que de 1,8, identique à celui du Royaume-Uni. Mais l'alphabétisation exige la construction d'écoles ce qui suppose une certaine croissance économique. C'est grâce à la croissance économique que l'alphabétisation a pu se développer au Mexique, au Costa Rica ou en Corée du Sud, ce qui a permis à ces pays de ralentir leur croissance démographique.

Même si la fécondité a diminué dans l'ensemble des pays du Tiers Monde, les progrès sont très inégaux selon les régions et les pays, et la transition démographique est plus lente que ne le prévoyaient les experts il y a dix ans.

CHAPITRE III

Une industrialisation nécessaire, mais difficile

∎

S'il est un point sur lequel s'accordent tous les analystes du développement, c'est que l'industrialisation est une nécessité. Pour l'ensemble du Tiers Monde, l'augmentation de la production industrielle a joué un rôle moteur dans la croissance économique depuis les années cinquante, puisqu'elle a été plus rapide que celle du PIB. Il y a même eu un certain rattrapage vis-à-vis des pays développés puisque la croissance de la production industrielle a été plus rapide dans le Tiers Monde. Toutefois, des écarts importants subsistent entre pays du Nord et pays du Sud. Les pays du Nord assurent encore plus de 85 % des exportations manufacturières mondiales, les pays du Tiers Monde se partagent le reste.

Ces écarts apparaissent cependant moins élevés lorsqu'on rapporte les exportations manufacturières au PIB : dans le Nord, elles représentent 11,8 % du PIB et dans le Sud, 8,3 %. Alors qu'en Allemagne, elles repré-

Part de l'industrie dans le PIB en pourcentage en 1970 et en 1991

	1970	1993
Economies à faibles revenus	29	35
Bangladesh	9	18
Chine	38	48
Ethiopie	14	10
Inde	22	27
Indonésie	19	39
Pakistan	22	25
Economies à revenus intermédiaires	–	–
Algérie	41	43
Brésil	38	37
Corée du Sud	29	43
Côte d'Ivoire	23	24
Mexique	29	28
Thaïlande	25	39
Tunisie	24	31

(Source : Rapport sur le développement dans le monde, Banque Mondiale, 1995)

sentent 25,6 % du PIB et en France 13,7 %, en Corée du Sud on atteint 37,5 %, à Hong Kong 53,2 % et en Malaisie 29 %. Il y a donc eu un réel progrès de la production et des exportations industrielles dans le Tiers Monde, mais les résultats sont très variables d'un pays à l'autre.

Les pays du Tiers Monde ont répondu avec une grande variété aux trois questions qui se posaient à eux en matière d'industrialisation. La première concernait *le choix des stratégies d'industrialisation, la seconde les modalités du financement et le choix des technologies. Les réponses apportées à ces deux questions permettent de distinguer deux modèles de développement, l'un endogène, le second ouvert sur le marché mondial. Enfin, la dernière question concerne le rôle à attribuer à l'Etat. Si son intervention est généralement considérée comme nécessaire, elle n'est pas suffisante pour assurer une industrialisation réussie.*

1. Les stratégies
d'industrialisation

La première des stratégies adoptées a été l'industrialisation par substitution des importations (ISI). Elle a été adoptée dès les années trente et quarante en Amérique latine et popularisée par l'économiste argentin R. Prebisch[1]. Il s'agit de remplacer les importations de produits de consommation par des productions réalisées sur place : vêtements, produits agroalimentaires... Dans un premier temps, ces produits étaient plus chers que les produits importés, mais l'augmentation de la production, l'apprentissage de techniques nouvelles devaient permettre une baisse des coûts et donc des prix, qui favoriserait l'accès à l'exportation. Le développement de ces industries devait ensuite permettre celui des industries d'amont et ainsi, de proche en proche, la création d'un tissu industriel dense. Aux précurseurs sud-américains, l'Argen-

---

1. R. PREBISCH, *Le développement économique del'Amérique latine et ses principaux problèmes*, Nations unies, 1950.

tine, le Chili, le Brésil, se sont joints, dans les années cinquante, d'autres pays comme la Turquie, la Corée du Sud, Taïwan, le Ghana, l'Inde, l'Egypte...

La mise en place de cette stratégie suppose l'importation de biens d'équipement. Il faut donc mettre sur pied une politique de protectionnisme sélectif : droits de douane faibles sur les biens d'équipement, élevés et accompagnés de contingentements pour les biens de consommation dont on veut développer la production. Pour décourager les importations, le taux de change est surévalué et les gouvernements favorisent la mise en place des industries nouvelles à l'aide de subventions et de prêts bonifiés. Enfin, ils comptent sur le développement des exportations agricoles pour engendrer les recettes en devises qui permettront de financer les importations de biens d'équipement.

Cette politique a connu quelques succès. La production manufacturière a augmenté au Brésil et en Argentine plus rapidement que dans les pays développés. Le Brésil entreprend, dans les années cinquante, la deuxième phase de la substitution aux importations en remontant des industries de biens de consommation vers celles de biens intermédiaires (ciment, acier, verre) et l'industrie lourde.

Mais, dès les années soixante, et surtout soixante-dix, la croissance se ralentit en Amérique latine et la Banque Mondiale déchaîne ses critiques contre cette stratégie. Pour elle, la raison de son échec est simple. La protection des industries naissantes les a privées de l'aiguillon de la concurrence. Elles sont devenues de moins en moins efficientes. Leurs prix se sont maintenus à un niveau plus élevé que les prix mondiaux, ce qui a favorisé l'inflation et contribué à freiner les ventes, d'autant plus que pour essayer de réduire leurs coûts de production, ces entreprises ont pesé sur les salaires. Ces industries tournées vers le marché intérieur et trop protégées ont perdu tout dynamisme et toute compétitivité. Déficitaires, elles se sont tournées vers l'Etat qui multiplie ses interventions : investissements, production, prix, crédit, subventions. Cette mise sous perfusion engendre des dépenses qui aggravent les déficits publics.

Coûts en opportunités sociales dus aux pertes des entreprises publiques en 1988-1990

	Estimation des pertes des entreprises publiques en % du PNB	Accroissement potentiel des dépenses d'enseignement et de santé si ces pertes ne grevaient pas le budget de l'Etat (en %)
Afrique subsaharienne	5	77
Argentine	9	164
Bangladesh	3	97
Egypte	3	27

(Source : Rapport mondial sur le développement humain, PNUD, 1993)

Note : En Afrique subsaharienne, les pertes des entreprises représentent 5 % du PNB. Si ces pertes ne pesaient pas sur le budget de l'Etat, les dépenses d'enseignement et de santé auraient pu augmenter de 77 %.

Les Etats font marcher la planche à billets pour les financer et une inflation galopante apparaît dans certains pays : le Brésil, l'Argentine, la Bolivie. De plus, comme la remontée vers les biens intermédiaires et les biens d'équipement a échoué, il a fallu continuer à les importer. La protection douanière et la surévaluation du taux de change ont pesé sur les exportations agricoles. Le déficit extérieur ainsi créé a entraîné un accroissement de l'endettement.

La CEPAL a aussi reconnu que cette stratégie s'était heurtée à des blocages, mais elle en a présenté une analyse différente. Pour elle, l'industrie par substitution des importations a été victime de deux blocages. L'un externe, la dépendance vis-à-vis des biens d'équipement importés, a poussé ces pays à chercher à attirer les firmes multinationales qui se sont réservées les secteurs les plus modernes, tandis que le capital national restait centré sur les industries traditionnelles. Un dualisme s'est ainsi créé, parallèle à celui qui, dans l'agriculture, sépare les productions vivrières des productions destinées à l'exportation. Le second blocage est interne et lié aux structures sociales des pays d'Amérique latine. Pour pouvoir baisser le coût de production des industries nouvelles, il fallait élargir leur marché pour bénéficier d'économies d'échelle. Cela nécessitait une augmentation du pouvoir d'achat. Or, la forte croissance démographique et l'exode rural ont entraîné une augmentation de la population active qui a pesé sur les salaires. Dès lors, les salariés n'ont pu devenir les consommateurs de ce qu'ils produisaient. De plus, l'inégalité des revenus n'a cessé de s'accroître. Les titulaires de hauts revenus cherchant à consommer les mêmes produits que leurs homologues du Nord, et ces produits ne pouvant être produits sur place en raison de l'exiguïté du marché, il a fallu continuer à importer. Pour la CEPAL, ce sont donc les faiblesses structurelles des pays d'Amérique latine, en particulier l'inégalité des revenus qui expliquent l'échec des stratégies d'industrialisation par substitution des importations et non le protectionnisme.

Dans les années quatre-vingt, les pays d'Amérique latine ont libéralisé leurs échanges et se sont tournés vers une stratégie de promotion des exportations.

Pendant ce temps, d'autres pays avaient exploré une voie différente : la stratégie des industries industrialisantes. S'appuyant sur les idées de F. Perroux[2] qui estimait que la croissance était liée à certains déséquilibres autour de « pôles de croissance » que les pouvoirs publics devaient encourager, G. Destanne de Bernis[3] propose une stratégie « d'industries industrialisantes », qu'il contribue à faire adopter en Algérie. Il s'agit d'impulser le développement d'industries qui auront un effet moteur sur les autres, permettant ainsi la création d'un tissu industriel dense. Les industries lourdes ayant un effet d'entraînement plus important que les industries légères, et l'Algérie disposant de ressources pétrolières, le choix portera, dans son cas, sur les industries de base, sidérurgie et pétrochimie, et sur les infrastructures de transport. Les ventes d'hydrocarbures offraient à l'Algérie des moyens de financement. Les achats d'usines clés en main devaient assurer à ce pays nouvellement indépendant une industrie de base moderne, à la hauteur de ses ambitions. Les investissements, coûteux au départ, seraient ensuite rentabilisés par le développement des industries de biens de consommation.

Malheureusement, un certain nombre d'effets pervers sont rapidement apparus. Le taux élevé d'investissement ne pouvait être maintenu qu'à la condition de voir les rentrées de devises perdurer grâce aux ventes de pétrole. Or, le prix du pétrole a baissé à partir du début des années quatre-vingt. De plus, l'achat d'usines clés en main a révélé bien des inconvénients. Les projets étaient souvent surdimensionnés. En outre, la sidérurgie a été touchée par la crise. Les ventes n'ont pas pu

2. F. Perroux, *L'économie des jeunes nations. Industrialisation et groupements de nations*, PUF, Paris, 1962.
3. G. Destanne de Bernis, « Industries industrialisantes et contenu d'une politique d'intégration régionale », *in Economie appliquée*, ISEA, mars-avril 1966.

Evolution de la structure des activités industrielles
(en pourcentage de la VAIM[1])

	Activités traditionnelles[2]		Biens d'équipement[3]		Qualifications de faible niveau[4]		Qualifications de haut niveau[5]	
	1975	1985	1975	1985	1973	1983	1973	1983
Corée du Sud	40,3	32,0	13,5	22,8	49,0	40,5	33,4	40,4
Taïwan	38,4	30,6	17,0	23,8	45,6	38,1	35,4	38,8
Singapour	12,8	10,2	40,7	46,5	30,5	20,0	51,6	38,7
Hong Kong	53,1	43,2	15,1	20,3	63,0	53,4	25,2	27,5
Malaisie	34,8	27,5	19,0	23,0	49,2	43,4	31,4	29,8
Thaïlande	56,4	39,2	9,6	14,9	68,0	24,3	29,6	21,6
Inde	30,3	25,9	22,7	27,4	40,9	30,2	42,1	47,0
Brésil	25,7	26,8	23,6	25,4	42,4	36,9	36,0	40,4
Mexique	30,3	22,8	17,6	14,6	14,6	36,9	31,1	45,2
Kenya	44,2	50,5	14,2	13,4	13,4	50,4	64,4	34,9

1. VAIM : valeur ajoutée des industries manufacturières.
2. « Les industries traditionnelles » comprennent les industries alimentaires, les boissons, le tabac, les textiles et l'habillement.
3. « Les biens d'équipement » incluent les machines et le matériel de transport.
4. « Les activités exigeant un faible niveau de qualifications » englobent les industries traditionnelles + les produits à base de papier et de bois + les « autres » activités manufacturières.
5. « Les activités exigeant un haut niveau de qualifications » comprennent les secteurs de la chimie, des produits pétroliers, des métaux de base et du matériel de transport. Cette distinction est établie à partir des salaires moyens dans ces secteurs aux Etats-Unis en 1980.

Note : ce tableau présente le glissement des activités industrielles traditionnelles vers les industries de biens d'équipement pour des pays comme la Corée, Taïwan, Singapour, la Malaisie, etc, tandis que pour d'autres, le Kenya par exemple, ce glissement ne se produit pas.

(Source : Sanjaya LALL, *Promouvoir la compétitivité industrielle dans les pays en développement*, OCDE, 1990)

se développer pour permettre une utilisation complète des équipements. La main-d'œuvre n'était pas assez formée pour ces usines très sophistiquées. Les pannes se multipliaient et contribuaient à la sous-utilisation du matériel aggravée par les pénuries de pièces détachées importées. En raison de ces difficultés, la productivité est restée plus faible que dans les pays développés. Les coûts plus élevés ont freiné les possibilités d'exportations. Celles-ci sont donc restées centrées très majoritairement sur le pétrole, accentuant la dépendance de l'Algérie. Le coût élevé des investissements dans les industries de base a freiné les investissements dans les autres secteurs, industries légères et agriculture, si bien que l'appareil productif s'est avéré de plus en plus déséquilibré et que l'Algérie connaît aujourd'hui de grosses difficultés économiques[4].

Une troisième stratégie semble se généraliser actuellement : l'industrie par substitution d'exportations, sur le modèle réalisé par les « quatre dragons » d'Asie. Il s'agit de remplacer progressivement les exportations traditionnelles par de nouvelles, en faisant jouer les avantages comparatifs[5] de ressouces naturelles, de coût de main-d'œuvre, d'espace (voir p. 86-87).

Certains pays ont connu des réussites spectaculaires dans des conditions souvent différentes. Le Brésil a fait reculer la part du café dans ses exportations au profit du soja qui a joué un rôle d'entraînement sur l'industrie des biens d'équipement agricoles et a réussi à convertir vers l'exportation une partie de son industrie de substitution d'importations. Le Mexique a

---

4. Voir P. Eveno, *L'Algérie*, Coll. Le Monde Poche, Le Monde Editions-Marabout, 1994.
5. Selon la théorie des avantages comparatifs de Ricardo, tout pays à intérêt à se spécialiser dans la production où il a un avantage de productivité – même si cet avantage n'est que relatif – et à importer les produits dont il abandonne la production.

su limiter la part du pétrole dans ses exportations au profit d'une industrie de sous-traitance des industries nord-américaines, l'automobile en particulier. Les *maquiladoras*, installées le long de la frontière avec les Etats-Unis, importent hors taxes les composants et matières premières qui leurs sont nécessaires, fabriquent puis exportent les produits finis. Les droits de douane américains ne sont calculés que sur la valeur ajoutée au Mexique. Avec la signature de l'accord de libre-échange nord-américain (ALENA), ils devraient même disparaître. Comme le coût de la main-d'œuvre au Mexique est très inférieur à celui des Etats-Unis, on comprend le développement de ces entreprises.

C'est en Corée du Sud que cette stratégie a le mieux réussi (voir p. 90). En 1960, on considérait la Corée du Sud comme un pays pauvre avec de faibles perspectives de développement. Au cours de ses deux premiers plans quinquennaux (1962-1966 et 1967-1971), la Corée du Sud a entrepris une politique de promotion des exportations fondée sur l'habillement et l'assemblage électronique. Elle profitait ainsi de l'avantage comparatif que représentait une main-d'œuvre bon marché et disciplinée. Dès le troisième et le quatrième plan, la Corée du Sud entreprend ce que l'on a appelé la « remontée de filière ». Il s'agit de passer de la production de biens de consommation à la production de biens intermédiaires et de machines. En 1958, la Corée du Sud produit des articles de confection avec des fils et du tissu importés. Puis, elle a fabriqué ses tissus avec des fils importés et les a exportés. A la fin des années soixante, elle produit ses produits chimiques de base et les transforme en fibres textiles. Dans les années soixante-dix, elle se lance dans la fabrication des machines correspondant à ses besoins, puis dans leur exportation. Enfin, dans les années quatre-vingt, elle exporte des usines « produits en main » : elle vend les machines, les technologies, la mise en place de l'usine et la formation de la main-d'œuvre.

**Structure (en %) des exportations
de la Corée du Sud
de 1973 à 1990**

	1973	1980	1987	1990
Produits manufacturés dont	84	89,5	92,2	93,2
• machines et moyens de transports	12	20,3	35,8	39,3
• textiles	13,5	12,7	8,7	9,3
• habillement	23,3	16,9	16	12,1
• sidérurgie	5,9	9,5	5	5,5
Produits primaires	15,8	10,1	7,7	6,5

(Source : Rapport sur le commerce et le développement, CNUCED, ONU, 1993)

Elle profite ainsi du développement de ses voisins, Malaisie et Thaïlande, qui en sont à la phase de la confection grâce au bas prix de leur main-d'œuvre et leur vend les équipements dont ils ont besoin. Elle a suivi le même processus pour la filière qui, partant de la métallurgie et de la sidérurgie, a abouti à la construction navale (la Corée du Sud est aujourd'hui au second rang mondial derrière le Japon), à la mécanique et à l'informatique. Pour l'électronique, par exemple, à la fin des années soixante-dix, la Corée du Sud combine une politique de promotion de produits banalisés (ordinateurs de bureaux, centraux téléphoniques simples) et de substitution aux importations pour les produits intermédiaires (semiconducteurs). Aujourd'hui, la promotion des exportations touche les produits intermédiaires et la substitution aux importations, le cœur du système, puisque la Corée du Sud fabrique les tout derniers micro-processeurs, comme le Japon et les Etats-Unis.

L'exemple de la Corée du Sud est largement monté en épingle par la Banque Mondiale, qui en fait le modèle à suivre, en insistant sur le fait que cette réussite est liée à l'intégration au marché mondial, ce qui lui permet de pointer, à l'inverse, l'échec des tentatives de développement auto-centré, du type industrialisation par substitution aux importations. On peut cependant se demander si le modèle coréen est bien généralisable. Certes, ce modèle a bien réussi en Asie du Sud-Est (« quatre dragons », mais aussi Malaisie et Thaïlande) mais les autres pays qui se sont lancés dans la substitution aux exportations connaissent des fortunes diverses. Cette politique exige que les salaires restent bas, ce qui freine le développement du marché et gêne la constitution d'une épargne suffisante pour fournir les capitaux qui permettraient les investissements productifs nécessaires à la « remontée de filière ». En outre, il faut corriger l'avantage des bas salaires par le fait que la productivité est plus faible dans les pays du Sud. Si les salaires réels y sont de 20 à 40 % inférieurs à ceux des pays du Nord, la productivité y est aussi inférieure de 25 à 50 %. L'avantage des bas salaires est donc moins déterminant qu'il n'y paraît au premier abord. Pour conserver un avantage, les pays du Sud doivent donc, soit augmenter leur productivité, ce qui exige des investissements et un gros effort de formation de la main-d'œuvre, ce qu'a fait la Corée du Sud, soit maintenir à tout prix de bas salaires avec les risques d'explosion sociale que cela leur fait courir, et avec une industrie qui réalisera difficilement des économies d'échelle faute de développement du marché intérieur. En outre, on peut se demander dans quelle mesure les pays développés seront en mesure d'accueillir une proportion croissante d'exportations de produits de plus en plus élaborés fabriqués dans les pays du Sud. On peut citer à cet égard les mécomptes de l'industrie de la confection au Bangladesh. Après un développement très rapide – puisqu'il y avait 700 usines de vêtements travaillant pour l'exportation en 1985, alors qu'il n'y en avait aucune en 1979 –, un effondrement est intervenu en 1985, à la suite des quotas sévères imposés par les Etats-Unis, le Royaume Uni, la France, le Canada. Cinq cents usines ont dû être fermées. Après une hausse des quotas, en 1986-1987, trois cents ont pu ouvrir à nouveau en recherchant de nouveaux débouchés, en ex-URSS, en Australie, au Japon, et au Moyen-Orient. On voit ainsi les dangers de la dépendance engendrée par un développement centré sur la promotion des exportations, et la difficulté de passer à la substitution d'exportations, avec une « remontée de filières ».

2. Quels capitaux et quelles technologies ?

Développer une industrie exige des capitaux, qui peuvent être trouvés dans le pays ou apportés par des firmes multinationales. Dans le premier cas, il faut qu'existe une épargne suffisante et il faut la drainer vers des emplois productifs. On a souvent dit que les pays du Tiers Monde ne disposaient pas d'une épargne nationale suffisante en raison de la pauvreté de la grande masse de la population. En réalité, le niveau d'épargne dépend largement des possibilités de la rentabiliser. Dans les années 50, le niveau d'épargne était en Corée du Sud inférieur à celui de l'Inde. Il s'est très fortement accru quand les opportunités d'accumulation sont apparues. Il a aussi augmenté grâce à la mise en place, sous le contrôle du gouvernement, d'un système financier très cohérent avec des banques de dépôt, des sociétés d'investissement, et une Bourse qui draine l'épargne vers les grands groupes industriels et commerciaux. De plus, l'inégalité réduite des revenus permet une épargne plus large, encouragée par des taux d'intérêt nominaux assez élevés.

Inversement, dans des pays où l'inflation est forte, où la dette extérieure importante fait peser des incertitudes sur la valeur de la monnaie et où les revirements politiques sont fréquents, comme en Argentine, l'épargne est difficile à mobiliser sur des projets industriels. Les taux d'intérêt réels freinent l'investissement privé dont la rentabilité est inférieure au coût du capital. Les prêteurs potentiels préfèrent les placements immobiliers et la spéculation à l'investissement productif trop incertain, ou placent leurs capitaux à l'étranger. La Banque Mondiale, dans son rapport de 1991, parle d'une fuite de capitaux de 16 à 17 milliards de dollars pour l'Argentine, entre 1980 et 1984, et de 27 milliards de dollars pour le Venezuela. Certaines années, cette fuite a représenté, dans ce pays, la moitié de l'épargne nationale. Elle freine l'investissement et a bien d'autres conséquences néfastes. Elle réduit les recettes de l'Etat, ce qui aggrave le déficit public, donc la dette publique souvent contractée à l'étranger. Tous les pays confrontés à l'hyperinflation sont victimes de cette fuite des capitaux, de l'Argentine à la Bolivie et au Pérou.

Si l'investissement privé fait défaut, les investissements publics peuvent prendre le relais. Dans les pays victimes de l'hyperinflation, l'Etat ne peut les assurer. En effet, il rencontre beaucoup de difficultés dans le recouvrement de l'impôt, les débiteurs tardant le plus possible à payer pour pouvoir le faire en monnaie dévaluée. Les difficultés des finances publiques en Amérique du Sud freinent même les dépenses d'infrastructure et d'éducation. Il ne faut donc pas attendre de miracles pour les investissements productifs (voir pp. 94-95).

En Inde, par contre, l'investissement public représente près de la moitié des investissements depuis 1960. Une forte épargne privée des ménages et des entreprises y existe puisque le taux d'épargne[6] atteint près de 20 %. Cette épargne est

---

6. Taux d'épargne = Epargne/PIB.

Physionomie de l'investissement public

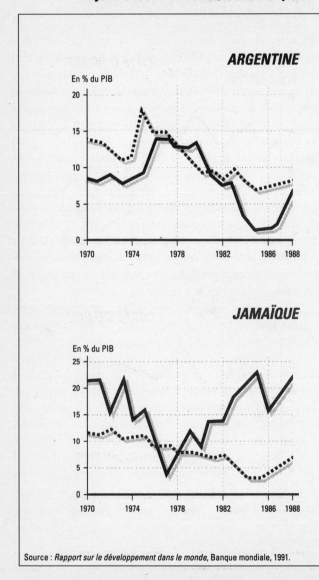

Source : *Rapport sur le développement dans le monde*, Banque mondiale, 1991.

et privé dans quatre pays (1970-1988)

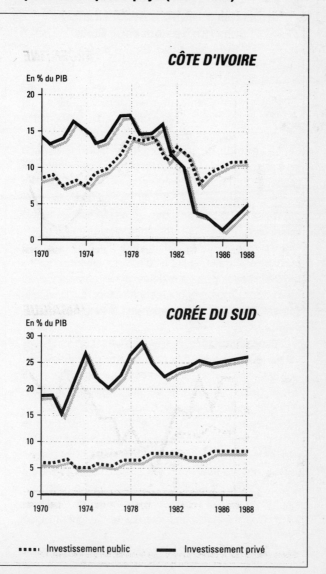

CÔTE D'IVOIRE

En % du PIB

CORÉE DU SUD

En % du PIB

..... Investissement public ——— Investissement privé

Rôle des investissements étrangers dans quatre nouveaux Etats industrialisés (NEI) d'Asie

Singapour représente un exemple remarquable – on pourrait même dire un cas extrême – d'une économie où l'investissement direct étranger (IDE) a eu une incidence très forte sur la restructuration industrielle, et où les capitaux d'origine locale n'ont joué qu'un rôle accessoire. En Malaisie, contrairement à Singapour, on assiste, depuis 1988, à une reprise de l'IDE parallèlement à une politique gouvernementale active visant à promouvoir les industries lourdes en les protégeant par des barrières douanières ; l'expérience de la Malaisie est également riche d'enseignements pour les pays en développement dotés d'une abondance de ressources propres et qui reconnaissent que l'investissement étranger peut contribuer à leur développement.

L'expérience de la Thaïlande, qui est de loin l'économie la plus vaste et la plus pauvre des quatre, est instructive parce qu'elle a obtenu rapidement le statut de NEI, grâce, principalement, aux importants investissements japonais, puis aux apports de capitaux en provenance de Taïwan réalisés depuis 1987 dans le secteur manufacturier particulièrement orienté vers les exportations ; ceci semble indiquer que l'attrait exercé par un pays donné pour les investisseurs étrangers peut changer rapidement par suite de développements externes et régionaux, alors que les modifications dans les politiques intérieures ne jouent qu'un rôle insignifiant.

L'expérience de Taïwan est l'exemple d'un pays où les investissements directs à l'étranger sont allés de pair avec ceux d'origine extérieure réalisés dans le pays. Les quatre pays partagent cependant deux caractéristiques essentielles : le rôle de mentor économique et de premier investisseur étranger du Japon, et le rôle de plus en plus important joué par l'entreprise privée locale, dominée par les communautés d'affaires d'ethnie chinoise.

(Sources : Conclusions en matière d'orientation politique et de recherche du Programme de Recherche du Centre de développement de l'OCDE pour les années 90)

drainée vers le secteur public par une politique d'emprunt, d'émission d'obligations. Le secteur public a pris en charge une partie importante de l'industrie : l'armement, l'énergie atomique, le chemin de fer, l'aéronautique, la sidérurgie, les mines, l'électricité, la construction navale, les télécommunications et une large part des activités financières et bancaires. Toutefois, la part du secteur public tend à diminuer depuis le milieu des années 80, où elle représentait 40 % de la production industrielle. De nombreuses branches d'activité ont été progressivement ouvertes aux investissements privés et étrangers.

Les pays du Tiers Monde ont aussi fait appel aux capitaux étrangers dans des proportions variables. Tous les pays les recherchent aujourd'hui, car ils comblent le vide que la bourgeoisie nationale ne remplit pas lorsqu'elle préfère les placements à l'étranger. La Chine elle-même a signé avec Nestlé un accord pour la construction d'une usine fabriquant des laits maternisés, et avec Ciba-Geigy pour des produits pharmaceutiques. De nombreux pays s'efforcent pourtant de contrôler l'installation des firmes multinationales (FMN), tels la Chine, l'Inde, Taïwan ou l'Algérie. En Corée du Sud par exemple, la part des capitaux étrangers ne dépasse pas 10 % du total des investissements et aucune firme multinationale ne possède plus de 50 % du capital d'une entreprise nationale. Même si les investissements étrangers se sont accélérés depuis les années soixante-dix, en provenance généralement du Japon, ils ont surtout pris la forme de *joint ventures*, sociétés à capitaux mixtes, la FMN s'alliant à une entreprise nationale. C'est aussi le cas, en Afrique, du Botswana, un pays aride et sous-peuplé qui a des réserves de diamant de haute qualité qui fournissent 70 % de ses recettes d'exportation. Le Botswana a su obtenir de la De Beers[7] d'être associé à 50 % dans les opérations minières réalisées sur son sol. En échange de diamants, le Botswana a réussi à obtenir 5 % du capital de la De Beers, ce qui lui assure un siège au Conseil d'administration de la société et des milliards de dollars de dividendes pour les années à venir. Aujourd'hui, les FMN ne cherchent plus seulement dans les pays du Tiers Monde des matières premières ou de la main-d'œuvre bon marché. Elles y cherchent des débouchés, et l'on peut constater que la part des firmes américaines diminue au profit des européennes et des japonaises.

Cet appel aux capitaux étrangers par le biais des FMN est censé avoir un avantage important : favoriser l'internationalisation des savoirs et les transferts de technologie. Ces transferts ont lieu soit à l'occasion d'importations de biens d'équipement, soit dans le cadre d'achats de brevets, soit dans le cadre des investissements étrangers. Le Brésil et le Mexique ont ainsi bénéficié de transferts grâce aux investissements

---

7. De Beers est une société sud-africaine qui a le monopole de la vente des diamants de joaillerie sur le marché mondial.

étrangers. La Corée du Sud, après avoir eu, au cours des deux premiers plans, une politique d'achats d'usines clés en main qui a provoqué un fort endettement, a changé de stratégie. A partir de 1969, les pouvoirs publics ont demandé aux entreprises coréennes de préférer des accords avec des sociétés d'ingénierie étrangères pour créer et développer des structures locales d'ingénierie. Ces accords ont permis un réel transfert de technologie et l'ingénierie coréenne connaît un essor qui lui permet de gagner des marchés en Asie. Les pays qui ont tiré profit de ces apports de technologie ont su favoriser leur assimilation et encourager la formation par l'envoi d'étudiants à l'étranger et la mise sur pied d'échanges entre centres de recherche.

Certains observateurs font cependant remarquer que de nombreux problèmes subsistent en matière de transferts de technologie. D'une part, les technologies importées ne sont pas toujours les mieux adaptées aux besoins des pays du Tiers Monde car elles sont gourmandes en capital, dont manquent ces pays, et économes en main-d'œuvre, qu'ils ont en abondance. Certains pays ont donc cherché à mettre au point leurs propres technologies, comme le Brésil ou l'Inde jusqu'en 1985. Mais cela a obligé ces pays à une activité scientifique intense et coûteuse. L'Inde a donc, après 1985, jugé préférable de reprendre ses importations de biens d'équipement et de pièces dans le secteur électronique. Elle a ainsi pu abaisser ses prix et augmenter ses exportations. D'autre part, les FMN veillent à ne pas diffuser les brevets et les technologies les plus modernes. La Corée du Sud en fait aujourd'hui l'expérience. Elle se heurte aux réticences des Etats-Unis et du Japon à un moment où copier ne lui suffit plus puisque, lors de l'arrivée de ses produits sur les marchés, ils sont déjà dépassés par les nouvelles technologies nippones. Or, sa main-d'œuvre n'est plus aussi bon marché qu'autrefois et elle subit la concurrence de ses voisins sur les produits bas de

Les NEI d'Asie

Les NEI de première catégorie, Singapour, Hong Kong et surtout la Corée du Sud et Taïwan, ont fait des progrès impressionnants dans le développement de leurs capacités technologiques grâce à un processus d'industrialisation tardive.

Cependant, les perspectives d'avenir pour les NEI ne sont pas aussi brillantes que les récentes tendances semblent l'indiquer. Un système commercial international de plus en plus hostile impose des limites aux possibilités d'exportations des NEI qui ont le mieux réussi, en particulier par la mise en place massive de barrières non tarifaires. Les restrictions bilatérales à l'accès sur le marché des Etats-Unis et de la CEE auxquelles doit faire face la Corée du Sud représentent un exemple parfait. .La réévaluation des devises de la Corée du Sud et de Taïwan par rapport au dollar et la décision du gouvernement américain d'exclure les NEI asiatiques de première catégorie du système de préférences généralisées constituent également de véritables barrages à un succès durable.

Ces facteurs associés à l'augmentation des coûts internes et à la récente concurrence des NEI* de seconde catégorie ont obligé les NEI de première catégorie à s'implanter dans des zones davantage axées sur la technologie. Dans ce cas cependant, les NEI asiatiques de première catégorie connaissent un accès li-

---

* NEI de seconde catégorie = Thaïlande, Malaisie en Asie.

mité à la technologie dû au renforcement des réglementations sur la propriété intellectuelle. Le développement limité, la capacité restreinte de conception et de commercialisation d'un grand nombre d'entreprises dans les NEI constituent un obstacle interne à la transition vers des activités et industries exigeant davantage de compétence. Les futurs défis sont encore plus lourds si on prend en compte le renforcement des barrières à l'entrée de ce nouveau « paradigme technico-économique » basé sur la micro-électronique. Le raccourcissement du délai de livraison entre la demande et l'offre, l'importance soutenue des économies d'échelle, le caractère de plus en plus dépendant de la science des nouvelles technologies et l'effet de *lock-out* des normes dominantes sont autant de facteurs déterminants.

De plus, d'importants investissements dans la capacité de production ainsi que dans les réseaux de commercialiation et de distribution sont indispensables, alors même que les marchés de capitaux restent relativement peu développés.

(Source : « Conclusions en matière d'orientation politique et de recherche » du Programme de Recherche du Centre de développement de l'OCDE pour les années 1990)

gamme. Il lui faut des produits plus innovants. Les *chaebols*[8] ont donc commencé à développer des laboratoires de recherche, en cherchant une coopération avec les Etats-Unis, le Japon et l'Europe.

---

8. *Chaebols* : groupes très diversifiés structurés autour de sociétés commerciales. Il s'agit d'une forme de concentration assez proche des *Zaïbatsu* japonais.

3. Le rôle de l'Etat

L'analyse de la situation des pays du Tiers Monde révèle des interventions nombreuses, diversifiées et plus ou moins heureuses de l'Etat dans le processus d'industrialisation.

Elles portent d'abord sur le choix des stratégies d'industrialisation et les structures productives. L'Etat planifie, favorise le développement de certains secteurs en leur accordant des subventions, parfois assorties de conditions de prix. En Corée du Sud, il a ainsi largement organisé les structures du système productif, favorisant le désengagement des secteurs en difficulté et l'impulsion des secteurs d'avenir comme l'électronique. Il a favorisé la concentration dans les années soixante et soixante-dix, autour des *chaebols*. En 1991, il a estimé que l'économie sud-coréenne devait réorienter sa production et donner la priorité à des produits plus élaborés et de meilleure qualité. Cette évolution implique une plus grande spécialisation des *chaebols*. Le ministère de l'Industrie leur a donc demandé de déterminer chacun trois secteurs stratégiques qui seront seuls à bénéficier des aides publiques. Les *chaebols* ont obéi à contrecœur, car ils estimaient que la diversification leur permettait de mieux faire face aux changements de conjoncture et de se lancer dans de nouvelles technologies. Mais ils ont pourtant obtempéré, car les moyens de pression de l'Etat sont importants. Samsung a ainsi choisi l'électronique, la pétrochimie et l'industrie lourde ; Hyundaï, l'automobile, la pétrochimie et l'électronique ; Daewoo, l'électronique, l'automobile et le commerce.

En l'absence d'une classe d'entrepreneurs nationaux, l'Etat peut aussi organiser un vaste secteur public de production. C'est ce qu'a fait l'Inde où, au cours des décennies soixante et soixante-dix, l'Etat réalisait 49 % des investissements de sorte qu'en 1980, le secteur public assurait 40 % de la production industrielle. Pour orienter la production, l'Etat délivrait des licences d'investissement, allouant l'épargne aux investissements jugés prioritaires, et des licences d'importation, attribuant les devises aux entreprises qui répondaient aux « besoins essentiels ». Dans de nombreux pays, comme l'Algérie, le Mexique ou le Venezuela, l'Etat a pris le contrôle des secteurs clés de l'économie, comme le pétrole. Il peut aussi favoriser l'intervention des FMN en ouvrant des zones franches où elles bénéficient d'avantages en matière fiscale, de règlementation du travail, de rapatriement des bénéfices, comme cela se fait en Chine, à l'Ile Maurice, en Côte d'Ivoire. Il peut, au contraire, la limiter comme en Inde où, jusqu'en 1990, la participation des firmes étrangères à leur filiale indienne ne pouvait excéder 40 %.

L'Etat participe aussi au financement de l'industrialisation en accordant aux entreprises des subventions ou des crédits à taux préférentiels. La Corée du Sud l'a fait pour impulser la filière électronique, en subordonnant l'octroi des aides à des critères de performance. L'Etat peut contribuer à la mise en place d'un système financier cohérent capable de drainer l'épargne vers les secteurs productifs, comme l'ont fait depuis longtemps les « quatre dragons » d'Asie.

L'Etat intervient aussi pour réglementer les relations avec l'extérieur qui conditionnent l'activité industrielle. Les stratégies d'industrialisation par substitution aux importations s'accompagnaient de mesures protectionnistes pour protéger les industries naissantes d'importations plus compétitives. On l'a vu en Argentine ou en Egypte. Les stratégies de promotion des exportations s'accompagnent plutôt d'une ouverture des frontières. Certains pays, comme la Corée du Sud, ont combiné une protection du marché intérieur pour sauvegarder leur agriculture et une détaxation sur les produits importés intégrés dans les productions exportées.

C'est sur ces interventions de l'Etat qu'ont porté les critiques de la Banque Mondiale et du FMI, chantres de la vision libérale où le libre jeu des mécanismes du marché et de la concurrence sont le meilleur moyen d'assurer la croissance et le développement. Dans les années quatre-vingt, ces organisations ont réussi à imposer leur analyse à de nombreux pays du Tiers Monde qui se trouvaient en difficulté et dont l'endettement avait beaucoup augmenté. On a ainsi assisté à une diminution des interventions de l'Etat. L'Inde, par exemple, a entrepris une libéralisation de son économie. Elle s'est davantage ouverte aux capitaux étrangers. Les licences d'investissement et d'importation ont été supprimées dans un certain nombre de secteurs. Elles restent toutefois en vigueur dans un certain nombre de « secteurs clés », où l'on trouve le charbon, le pétrole, mais aussi l'automobile, l'alcool et les cigarettes. Le secteur public a été réduit. De même, la plupart des pays d'Amérique latine ont procédé à des privatisations.

Pourtant, la réussite de la Corée du Sud, où l'Etat intervient largement dans l'économie, a amené la Banque Mondiale à nuancer ses positions. Aucun expert n'oserait affirmer à un responsable africain qu'il suffit de libéraliser le secteur privé pour que l'industrie démarre ! La Banque Mondiale reconnaît que l'interventionnisme réussit là où la concurrence a été maintenue, la protection bien encadrée, la flexibilité face aux changements de conjoncture assurée. Elle décerne ainsi des palmes à la Corée du Sud et à la Malaisie et épingle l'Argentine ou l'Egypte. Depuis quelques années, son analyse semble s'infléchir. Elle reconnaît que l'industrialisation ne peut réussir que dans un environnement socio-économique favorable, dont l'Etat est le garant. Pour que l'industrie puisse se développer, commercialiser ses produits, exporter, il faut des infrastructures en bon état, une police et une justice qui fonctionnent, des règles du droit des contrats que l'on respecte. C'est ce qui fait actuellement défaut à de nombreux pays africains. Qui oserait ouvrir une entreprise au Zaïre où le banditisme sévit, où les routes n'existent plus dès qu'arrive la

Les politiques industrielles
dans les années 80
à Singapour

En 1979, le gouvernement a lancé une « deuxième révolution industrielle » pour que le secteur industriel abandonne des activités à forte intensité de main-d'œuvre et se tourne vers d'autres de plus haute technicité, plus qualifiées, plus productives et plus rentables. La nouvelle stratégie comportait :

• Une politique de réajustement des salaires, avec trois années de hausses salariales à deux chiffres, afin de « ramener les salaires aux niveaux du marché » et d'encourager la substitution de capital au travail.

• Des changements dans les relations industrielles et le système de partenariat social afin d'améliorer la productivité.

• L'augmentation des investissements dans l'enseignement et la formation professionnelle, et d'autres programmes visant à améliorer la productivité.

• Des incitations nouvelles et plus larges ainsi qu'une promotion dynamique de l'investissement à l'étranger afin d'attirer en priorité les industries techniques de pointe.

Cette politique de restructuration a réussi à atteindre certains de ses objectifs, y compris une croissance rapide entre 1980 et 1984 (supérieure à celle des autres NEI d'Asie), un progrès technologique accéléré, le transfert (dans les pays voisins et particulièrement en Malaisie) des firmes à forte intensité de main-d'œuvre et de sensibles augmentations dans la formation et l'offre de main-d'œuvre qualifiée. En revanche, les hausses importantes des salaires se sont traduites par de fortes augmentations des coûts unitaires de la main-d'œuvre, effet auquel est venu s'ajouter le poids des dépenses du secteur public et le renforcement de la monnaie par rapport au dollar des Etats-Unis. Il en est résulté une réduction de la rentabilité du secteur privé et une rapide érosion de la compétitivité industrielle qui – avec une forte baisse de la construction intérieure et une chute du marché extérieur des principaux secteurs industriels de Singapour (électronique, pétrole et construction navale) ainsi que des économies tributaires des produits de base de ses partenaires commerciaux régionaux –, ont déclenché une grave récession en 1985-1986.

Le gouvernement a réagi en mettant en application, sur le plan de l'offre, des solutions qui visaient à réduire les coûts commerciaux puisqu'il ne pouvait guère influer sur la demande extérieure. L'impôt sur les sociétés et l'impôt foncier ainsi que les redevances réglementaires relatives aux services publics (loyers, télécommunications, services portuaires, etc) ont été réduits, ainsi que les contributions obligatoires des employeurs au Fonds central de prévoyance pour leurs salariés. Une politique de freinage des salaires a été instituée et des réformes salariales appliquées pour que les salaires soient plus flexibles et plus en rapport avec la rentabilité de chaque société et la productivité des travailleurs. Le redressement économique a commencé à la fin de 1986 et a été rapide et énergique.

(Source : Linda Lim, Pang Eng Fong, *L'investissement direct étranger et l'industrialisation en Malaisie, Singapour, Taïwan, Thaïlande*, OCDE, 1991)

saison des pluies, où les voies ferrées ne sont plus entretenues ? Il faut aussi une politique assurant une éducation suffisante pour que le pays dispose d'une main-d'œuvre instruite. Ce fut l'un des atouts des « quatre dragons » d'Asie, mais aussi de la plupart des pays de l'Asie de l'Est et du Sud-Est, et de l'Amérique latine.

Enfin, un Etat fort peut être un instrument de la percée industrielle, comme on l'a vu en Corée du Sud. L'Etat y a, par un strict contrôle des syndicats, assuré la docilité de la main-d'œuvre. Le faible niveau de la protection sociale a permis de réduire les coûts de main-d'œuvre et d'encourager l'épargne drainée vers les investissements productifs. L'absence de salaire minimum a aussi contribué à la réduction des coûts qui a favorisé les exportations. La démocratisation est récente et correspond au niveau de développement atteint maintenant par la Corée du Sud.

La question n'est donc pas tant celle de la réduction du rôle de l'Etat que celle de l'amélioration de ses interventions. Il apparaît clairement aujourd'hui, qu'en matière d'industrialisation, les stratégies adoptées et les résultats sont très variables selon les pays. Il n'y a pas de modèle d'industrialisation unique.

CHAPITRE IV

L'agriculture, une priorité oubliée

∎

La forte proportion d'une population vivant de l'agriculture est une des caractéristiques des pays du Tiers Monde. A l'exception des « quatre dragons » d'Asie (Corée du Sud, Taïwan, Singapour et Hong Kong) et du cône sud de l'Amérique latine, les pays du Tiers Monde ont plus de 30 % d'actifs occupés dans l'agriculture, alors que les pays développés en ont, en moyenne, moins de 7 %. La production agricole réalisée dans les pays du Tiers Monde est loin d'être à la hauteur des effectifs occupés.

Or, dans le schéma de Rostow[1], la croissance de la production et de la productivité agricole apparaît indispensable pour assurer le développement, à l'image de ce qui s'est passé dans les pays aujourd'hui développés au cours de la révolution industrielle, à la fin du XVIIIe et au début du XIXe siècle. Cette croissance permet une amélioration de l'alimentation de la population, qui

---

1. *Les étapes de la croissance économique*, Le Seuil, Paris 1960.

Importance de l'agriculture pour l'économie des pays du Tiers Monde

	% de l'agriculture dans le PIB		% de la population active dans l'agriculture		% des importations de produits alimentaires en 1986 dans le total des importations	% des exportations de produits alimentaires en 1986 dans le total des exportations
	1965	1986	1965	1986		
Pays à faibles revenus	42	32	77	72	10	29
Chine	39	31	81	74	7	22
Inde	47	32	73	70	10	23
Tanzanie	46	59	92	86	4	79
Pays à revenus intermédiaires						
Tranche inférieure	22	15	65	55	11	34

Nigéria	53	41	72	68	11	4
Egypte	29	20	55	46	22	14
Tranche supérieure	18	10	45	29	10	16
Brésil	19	11	49	31	15 ·	41
Corée du Sud	38	12	55	36	16	6
Algérie	15	12	57	31	22	1
Pays exportateurs de pétrole à revenus élevés Arabie Saoudite	8	4	68	48	17	1
Pays industrialisés à économie de marché	5	3	14	7	12	12

(Source : Rapport sur le développement du Monde, 1988, BIRD.)

devient ainsi plus productive. L'agriculture va libérer de la main-d'œuvre pour l'industrialisation et pourra alimenter davantage de citadins. Enfin, les paysans enrichis vont augmenter leur demande de produits industriels et leur épargne favorisera l'accumulation nécessaire pour le développement de l'industrie. Ce schéma s'est imposé et a été repris et nuancé par P. Bairoch[2]. A l'inverse, F. Crouzet[3] estime, en s'appuyant sur une étude de la révolution industrielle en Grande-Bretagne, que la « révolution agricole » n'a pu fournir à l'industrie naissante ni les hommes ni les capitaux ni les débouchés. En effet, les usines ont démarré avant l'exode rural et les besoins de capitaux de l'industrie naissante, peu élevés, ont pu être satisfaits grâce aux apports du commerce et des banques. F. Crouzet rappelle aussi qu'en France, la révolution industrielle s'est réalisée sans qu'on puisse parler de « révolution agricole ». Sans vouloir trancher le débat, on peut néanmoins estimer que les développements de l'industrie et de l'agriculture sont liés. Des progrès dans l'agriculture sont une condition nécessaire du développement, mais il ne faut pas les isoler des autres transformations économiques et sociales.

En matière agricole, le bilan du Tiers Monde est aujourd'hui contrasté. Si un certain nombre de pays du Tiers Monde ont réussi leur développement agricole, comme Taïwan ou la Corée du Sud, pour d'autres, la situation est plus incertaine, telles l'Inde ou la Côte

---

2. *Révolution industrielle et sous-développement*, SEDES, 1969.
3. « Agriculture et Révolution industrielle : quelques réflexions », in *Cahiers d'histoire*, n° 1, 1967.

*d'Ivoire et d'autres enfin voient la production alimen-
taire par habitant diminuer, tels la plupart des pays de
l'Afrique subsaharienne, et la faim, la sous-nutrition et
la malnutrition y sévissent..*

1. La persistance de la faim
et de la malnutrition

Les famines n'ont pas disparu dans le monde : 1978 dans le
Nord-Est du Brésil, 1983 au Sahel, 1984 en Ethiopie, 1989 au
Soudan, et 1992 en Somalie. Pourtant, elles se sont raréfiées
et le nombre des victimes a considérablement diminué car
elles touchent des régions plus limitées et moins peuplées que
les grandes famines qui touchèrent l'Inde, puis la Chine dans
les décennies 1940 et 1950. Par ailleurs, l'aide internationale
se mobilise assez massivement pour les grandes causes hu-
manitaires très médiatisées. Ces famines sont souvent liées à
la combinaison des effets de la sécheresse et de la guerre
civile. Les paysans fuient les zones de combat. Pour affamer
les mouvements de guerilla, les soldats gouvernementaux
ravagent les campagnes.

Dans l'ensemble, l'apport journalier de calories a pourtant
augmenté dans les pays du Tiers Monde (voir tableau pp.
116-117). Mais la sous-nutrition[4] fait bien plus de victimes
que les famines sans faire la une des journaux télévisés. Il faut
y ajouter les effets de la malnutrition. Il s'agit de carences en
protéines, fer, vitamines qui se traduisent par des maladies

---

4. Sous-nutrition : ration alimentaire inférieure à 2200-3000 calories pour un
   adulte, en fonction du climat et du type d'activité, selon les normes
   établies par la FAO (Organisation pour l'agriculture et l'alimentation) et
   l'OMS (Organisation mondiale de la santé), dépendant toutes deux de
   l'ONU.

Apport calorique quotidien dans quelques pays du Tiers Monde

Pays	Apport en % des besoins 1988-1990*	Apport en 1965 (base 100 : pays du Nord)**	Apport en 1988-1990 (base 100 : pays du Nord)
Pays à développement humain élevé	123	86	92
Chili	102	87	79
Corée du Sud	102	93	99
Mexique	131	90	100
Pays à développement humain moyen	114	71	85
Maurice	128	83	88
Pérou	87	79	70
Chine	112	69	83

Pays à développement humain faible	98	72	73
Inde	101	72	70
Bolivie	84	62	65
Sénégal	98	84	63
Total pays en développement	107	72	80
PMA	90	71	67

Lecture

* L'indice 100 représente la ration calorique quotidienne considérée comme normale par les organisations internationales. Pour un adulte, selon son type d'activité, elle est comprise entre 2200 et 3000 calories. Dans les pays du Tiers Monde à développement humain élevé, l'apport calorique représente 123 % de cette norme en moyenne.

** En 1965, dans les pays du Tiers Monde à développement humain élevé, l'apport calorique moyen a représenté 86 % de celui des pays du Nord. En 1988-1990, il en représentait 92 %.

(Source : d'après le « Rapport sur le développement humain », PNUD, 1993)

spécifiques qui affaiblissent les individus les rendant plus vulnérables aux maladies courantes et affectent la croissance des enfants, voire leur développement intellectuel. Selon les estimations de S. Bessis[5], « cette faim-là, affecte quelque 800 millions d'individus, soit 15 % de la population mondiale. Treize à dix-huit millions en meurent chaque année ». Si le nombre de victimes de la malnutrition a diminué en pourcentage depuis le début des années 1970, il a augmenté en valeur absolue et devrait continuer à le faire, d'après la Banque Mondiale, en ce qui concerne l'Afrique. Sur ce continent, le nombre de personnes souffrant de la faim est passé de 92 millions en 1970 à 140 au milieu des années 1980 et pourrait atteindre 165 millions en l'an 2000. S'y ajoutent 300 millions de personnes qui souffrent de malnutrition, soit près d'un Africain sur deux.

Pourtant, d'autres pays ont réussi à atteindre l'auto-suffisance. La péninsule indienne a diminué ses importations de céréales de 11,7 kg par habitant en 1974 à 6,6 kg en 1988. Le nombre de mal-nourris y a diminué. La consommation alimentaire a augmenté, passant de 2060 calories par jour par habitant en 1965 à 2228 en 1986. Quant à la Chine, les progrès ont été encore plus considérables. La consommation alimentaire par habitant y est passée de 1926 calories par jour à 2630 entre 1965 et 1988. La Banque Mondiale estime que seule l'Asie verrait le nombre de mal-nourris diminuer d'ici l'an 2000 (ils passeraient de 291 millions à 260).

Mais, pour l'ensemble du Tiers Monde, la consommation alimentaire, qui avait augmenté de 3,6 % par an entre 1970 et 1985, ne devrait augmenter que de 3,1 % entre 1985 et 2000, ce qui traduit une quasi stagnation de la consommation par tête car la croissance démographique est très rapide. En Afrique, la consommation par tête diminuerait même de 3 %

---

5. *La faim dans le monde*, La Découverte, Paris, 1991.

par an. Quant à la production agricole, les experts pensent qu'elle va se ralentir, que l'autosuffisance alimentaire sera donc difficile à atteindre et que la plupart des pays du Tiers Monde devront recourir à des importations accrues.

Pour expliquer ces différences de situation, on évoque souvent les contraintes naturelles. Elles n'ont certes pas été gérées de la même façon par les différents pays, mais le poids des structures foncières, le choix des techniques culturales et des politiques de développement sont des facteurs d'explication essentiels.

2. La contrainte naturelle

La plupart des pays du Tiers Monde se situent en zone tropicale ou équatoriale. L'alternance de périodes sèches et de pluies abondantes ainsi que des défrichements trop rapides provoquent un ruissellement des eaux qui entraîne un lessivage des sols. De plus, la couche d'humus est souvent faible car la chaleur et l'humidité qui règnent dans les forêts entraînent une rapide minéralisation de la biomasse qu'elles procurent, ce qui favorise l'apparition d'une couche dure, la latérite, totalement infertile après quelques années de mise en culture du sol, si on ne respecte pas une période de jachère. C'est ce qui se passe en Afrique. Pourtant, sur la côte Ouest de la Malaisie, elle aussi soumise au climat tropical, sur des pentes fortes et des terres pauvres, les agriculteurs ont réussi à développer des plantations d'hévéas, de palmiers à huile et même de cacao, en utilisant des engrais organiques obtenus grâce à l'élevage de porcs. La présence de voies de communication en bon état, qui leur permettait de commercialiser leur production, a aussi favorisé leur entreprise. La fragilité des sols tropicaux n'apparaît donc pas comme irrémédiable.

La chaleur n'est pas non plus un handicap absolu. Elle peut même être un atout, puisqu'elle permet plusieurs récoltes par an, trois dans le Sud de la Chine et à Java, à condition de pouvoir arroser pendant la période sèche. L'exemple le plus frappant est celui de l'Arabie Saoudite, un désert qui produit du blé, à un coût exhorbitant, avec des excédents par rapport aux besoins, que la politique menée depuis 1994 tend à réduire ! Ce résultat a pu être atteint grâce à de gros travaux d'irrigation et à l'utilisation de techniques perfectionnées.

Reste la question du régime pluviométrique. Les zones tropicales voient alterner des périodes de sécheresse et des pluies abondantes et violentes. Pourtant, si l'on prend l'exemple des pays soumis à la mousson, leur situation est loin d'être identique. Au Bangladesh, la mousson a encore des conséquences catastrophiques, avec des inondations dévastatrices. Le delta du Gange-Brahmapoutre est strié de multiples bras d'eau. Comme l'altitude est très faible, l'eau ne s'écoule pas et un tiers du territoire est submergé lors des violentes pluies de mousson. Le système d'endiguement est encore très insuffisant et la régularisation des grands fleuves exigerait une intervention conjointe avec le Népal et l'Inde, soutenus par la communauté internationale. Les progrès sont très lents, alors que la population augmente au rythme de 2,4 % par an, et que la densité y est déjà l'une des plus élevées du Tiers Monde : près de 250 habitants au km^2.

Cette croissance de la population conduit à mettre sans cesse en valeur de nouvelles terres, encore plus exposées aux inondations que les précédentes, ce qui rend les bilans de plus en plus meurtriers. La Chine du Centre et du Sud est aussi exposée à la mousson. Mais, depuis la première dynastie chinoise qui a régné du XXIIe au XVIIIe siècle avant J.-C., les travaux hydrauliques sont une des grandes constantes du labeur chinois. Construction de digues et de canaux, régulièrement entretenus, ont permis à la Chine de bénéficier de la richesse des fleuves en se gardant de leur violence.

La contrainte naturelle a donc été gérée de façon différente par les pays du Tiers Monde. Le cas extrême de l'Arabie Saoudite, qui est autosuffisante dans sa production de céréales, permet de comprendre que l'action humaine est plus importante que les conditions naturelles dans la réussite agricole de certains pays.

3. Le problème des structures foncières

Le droit à la terre et à l'eau est fondamental dans la détermination des conditions de travail et de vie des paysans. Or, ce droit est très inégalement réparti. Dans certains pays, les travailleurs sans terre représentent encore plus du quart des actifs agricoles. La proportion est plus faible en Asie qu'en Amérique latine. Sur ce dernier continent, le contraste entre les très grandes propriétés agricoles où l'on pratique souvent de l'élevage extensif (*latifundia*) et les petits domaines incapables de satisfaire les besoins essentiels de la famille paysanne en donnant du travail à tous ses membres (*minifundia*) est considérable. Le pays où la situation est la plus criante est le Brésil. Moins de 1 % des propriétaires détiennent 45 % des terres et l'on estime à 5 millions le nombre des familles paysannes sans terres, donc sans ressources.

La concentration foncière est aussi caractéristique de quelques États africains comme le Zimbabwe. L'Afrique subsaharienne y échappe en grande partie en raison du système communal de propriété des terres. Les membres de la collectivité ne jouissent que d'un droit d'usufruit. Toutefois, là où se développent les cultures d'exportation (café, cacao), là où sont réalisés les projets d'irrigation, la propriété privée se répand et on assiste à une certaine concentration des terres aux mains des plus riches, des notables locaux.

Les conséquences de cette répartition inégalitaire ont été bien étudiées. Il en résulte une faible productivité du travail et des ressources foncières. En effet, sur les *minifundia*, le paysan n'arrive pas à faire vivre sa famille. Il ne peut donc acheter ni engrais ni semences sélectionnées et il n'a souvent qu'un accès difficile à l'irrigation. Quant aux *latifundia*, la situation n'y est guère plus brillante : capital et travail y sont utilisés de façon extensive. Prenons l'exemple de l'Etat du Para au Brésil, récemment mis en valeur. De grands propriétaires fonciers s'y sont installés. Attirés par les discours populistes de certains dirigeants politiques, les paysans sans terre ont suivi. Les terres ont souvent été vendues plusieurs fois, puisqu'il suffit à un propriétaire d'acquérir des terres entourant un vaste espace libre pour acquérir tout l'ensemble. En outre, comme la loi prévoit que toute terre inoccupée peut être revendiquée par celui qui la cultive depuis cinq ans, les plus pauvres, les *poseiros*, tentent de s'installer sur des lopins aux confins des grandes *fazendas* et de s'y maintenir. Les *fazenderos* n'ont pas hésité à embaucher des gardes, les *pistoleiros*, qui brûlent maisons et récoltes et ne reculent pas devant le meurtre pour contraindre les *poseiros* au départ. Depuis 1985, Il y aurait eu, selon la Commission pastorale de la Terre, 976 morts à l'occasion de conflits liés à la question agraire. Le 17 avril 1996, la police militaire a même massacré une vingtaine de paysans sans terres qui réclamaient le droit de s'installer sur une propriété en friche. Pour éviter d'être évincés de terres qu'ils ne mettent pas en valeur, des grands propriétaires ont entrepris de les défricher et de les cultiver. Pour le faire à moindre coût, ils ont recours au travail d'ouvriers agricoles réduits à l'état de serfs. Il s'agit de *peones* recrutés dans des zones très pauvres du Nord-Est à qui l'on promet nourriture, logement, salaire. Ils ne trouvent, à leur arrivée, à des milliers de kilomètres de chez eux, que des *pistoleiros* chargés de les surveiller et une boutique qui leur vend le riz quatre fois le prix habituel. Ils se découvrent redevables du prix du transport en camions, et n'ont d'autre solution que la soumission ou la fuite avec le risque d'assassinat ou de torture en cas de reprise. On peut aussi estimer que c'est en raison de cette structure foncière que le problème des sécheresses récurrentes dans le Nord-Est brésilien n'a jamais été résolu, malgré l'importance des capitaux qui y ont été investis. La sécheresse permet aux grands propriétaires fonciers de renforcer leur pouvoir et leur richesse, puisque ce sont eux qui distribuent l'aide en eau et en nourriture attribuée à la région. L'aide est, bien entendu, distribuée en priorité aux villages fidèles qui « votent bien ».

Il y a donc une corrélation étroite entre l'inégalité dans la distribution des terres et la situation de sous-emploi, de bas revenus et d'insuffisance de la productivité générale des actifs employés dans l'agriculture.

Face à cette situation et au danger social que présente le gonflement de la masse des pauvres dans les campagnes, certains pays se sont attelés à une réforme agraire. L'Etat saisit des terres accaparées par de grands propriétaires fonciers et les transfère à des paysans souvent dépourvus de terres. Cette cession peut se faire sous forme de lopins individuels, ou en indivision sous forme de coopératives de production qui doivent rembourser la terre à l'Etat en un nombre variable d'annuités.

A. Gunder Franck[6] classe les réformes agraires en trois types. Tout d'abord celles que prônent les conservateurs grâce à des expropriations assorties d'une indemnisation. C'est ce qui a été fait à Taïwan, en 1953, où l'Etat a racheté

---

6. *Le développement du sous-développement en Amérique latine*, Maspéro, Paris.

aux grands propriétaires leurs terres et les a revendues, mor-
celées, aux métayers. L'épargne ainsi constituée par les anciens propriétaires a été encouragée à s'investir dans l'industrie. Aujourd'hui, 90 % des agriculteurs possèdent la terre
qu'ils travaillent et les rendements à l'hectare sont très supérieurs à la moyenne mondiale. Le Venezuela a pratiqué de
même, mais une partie importante de l'épargne des anciens
propriétaires a été s'investir à l'étranger.

Ensuite, il y a les réformes qui visent à intégrer la paysannerie, en partie ou en totalité, à la communauté politique
nationale. Dans ce cas, la terre peut être remise aux paysans
sous forme de lopins individuels – comme ce fut le cas en
Corée du Sud, au début des années cinquante –, ou remise à
un collectif, comme au Mexique en 1917. A la suite de la
Révolution mexicaine qui se fit au cri de « Terre et Liberté »,
la Constitution de 1917 remit la propriété du sol et des eaux à
l'Etat. Les grands propriétaires se virent ainsi peu à peu
arracher une partie des *haciendas*[7] qui fut attribuée en propriété à des *ejidos*[8] La jouissance du sol était individualisée,
mais la parcelle ne pouvait être ni vendue, ni hypothéquée.

Enfin, le dernier type de réforme agraire vise à effectuer
une transformation rapide et fondamentale de la société et
accompagne la mise en place du socialisme. Ce fut le cas de la
réforme agraire chinoise de 1949. Toutes les terres des non
exploitants et une partie de celles des paysans riches furent
confisquées et réparties entre les paysans pauvres et les
ouvriers agricoles. Cent millions d'hectares furent ainsi ré-
partis entre au moins 110 millions de familles paysannes.
L'énorme masse de micro-exploitations fut ensuite progressivement organisée en coopératives de production. A partir de
1958, la collectivisation s'accéléra avec la création des com-

---

7. Grande propriété agricole au Mexique.
8. Collectif des bénéficiaires de la réforme agraire en un même lieu. Ces
   bénéficiaires se nomment des *ejidatarios*.

munes populaires. Il s'agissait d'aller au plus vite vers le communisme. La propriété privée y était complètement abolie, il n'y avait plus ni lopins ni animaux détenus à titre privé. La vie communautaire poussée à l'extrême visait à dissoudre les liens traditionnels de la famille chinoise. On y développait des activités industrielles dans le but de dépasser la vieille coupure entre ville et campagne.

Mais, si distribuer la terre est une nécessité pour éviter la multiplication des jacqueries et favoriser le développement agricole, il semble que la réforme agraire soit bien difficile à réussir. Si elle aboutit à la multiplication de micro-exploitations aux mains d'agriculteurs dépourvus de capitaux, d'équipements élémentaires comme une charrue et des bœufs et incapables, faute de garantie, d'accéder au crédit, l'échec est assuré. Ce fut le cas au Mexique, et l'on comprend que la réforme agraire y ait, au cours du siècle, sans cesse été remise en chantier. En 1935, par exemple, L. Cardenas lui redonne une impulsion en distribuant des lots plus importants, en faisant un gros effort d'instruction paysanne et en créant une banque chargée d'attribuer des crédits aux *ejidatarios*. Mais, même ainsi, les difficultés ont persisté. Soixante pour cent des parcelles avaient moins de cinq hectares et la loi vient d'autoriser les *ejidatarios* à vendre ou louer leurs parcelles ou à s'associer éventuellement avec des sociétés nationales ou étrangères. Le gouvernement espère qu'ainsi se constitueront des exploitations d'une superficie suffisante pour permettre aux familles un revenu convenable autorisant les investissements nécessaires.

Une seconde difficulté tient au fait que les réformes agraires suscitent souvent de fortes résistances de la part des propriétaires fonciers. Comme ceux-ci jouent en général un rôle déterminant dans les organismes de décision, les lois votées sont peu à peu édulcorées voire inappliquées. Ce fut le cas au Brésil, où le plan national de réformes agraires, lancé par le président J. Sarney en 1985, devait voir redistribuer 44 millions d'hectares avant 1989. Un climat de violence a suivi et six ministres de la réforme agraire se sont succédé de 1985 à 1989. Finalement, les expropriations n'ont avancé que très lentement. En 1989, seuls 4 millions d'hectares avaient été redistribués, ne profitant qu'à 89 000 familles, alors que le plan en prévoyait 1,4 million. Or, au Brésil, moins de 1 % des propriétaires détiennent 45 % des terres.

Enfin, la collectivisation des terres auxquelles ont conduit certaines réformes agraires est aujourd'hui remise en cause dans quasiment tous les pays qui l'avaient adoptée. En Chine, si les coopératives socialistes avaient permis une augmentation de la production agricole, l'expérience des Communes populaires a, par contre, débouché sur un échec. Après la mort de Mao Zedong en 1976, la Chine s'est peu à peu installée dans une phase de décollectivisation. Les Communes populaires ont été dissoutes et les terres attribuées à chaque famille, à partir de 1981, avec un bail de quinze ans renouvelable. Depuis, la production a augmenté ainsi que le niveau de vie des paysans. De même, en Algérie, la création des domaines autogérés sur les terres confisquées aux colons s'est traduite par une forte baisse des rendements et de la productivité. Démotivés, les paysans travaillaient peu. Les erreurs de gestion étaient légions. En 1987, l'Algérie a entrepris une reprivatisation qui ne va pas sans problème. En effet, certains notables ont réussi à se faire attribuer des terres aux portes des villes qu'ils se sont empressés de revendre comme terrains à bâtir. Les paysans se plaignent du prix élevé et de la pénurie des engrais, pièces détachées de tracteurs, etc. Par ailleurs, il semble que la « révolution agraire » leur ait fait perdre le goût du travail de la terre[9].

---

9. Lire P. EVENO, *L'Algérie*, collection Le Monde Poche : Le Monde Editions-Marabout, 1994.

La propriété privée semble donner de meilleurs résultats que la collectivisation. Les paysans utilisent plus de main-d'œuvre et moins de capital, ce qui convient mieux aux pays du Tiers Monde. En outre, ils utilisent des technologies qu'ils maîtrisent. Ils se sentent responsables, et savent que l'amélioration de leurs revenus dépend de leur travail.

Résoudre la question foncière apparaît comme une condition nécessaire pour augmenter la production et la productivité, mais d'autres conditions s'imposent.

4. Techniques culturales et types de cultures

Les techniques culturales utilisées dans ces pays sont très variées. On peut, par exemple, opposer la technique de l'essartage utilisée en Afrique et l'agriculture chinoise. L'essartage est une agriculture itinérante. On défriche à la main ou en brûlant la végétation, puis on cultive du mil, du sorgho, des ignames. Au bout de deux ou trois ans, faute de fumure ou de fertilisant, la terre s'épuise. L'agriculteur part alors plus loin et recommence. Cette technique exige une faible croissance de la population afin que l'on puisse laisser en jachère suffisamment longtemps la terre abandonnée. Ce n'est plus le cas aujourd'hui. Cette technique, combinée au déboisement intensif pratiqué par une population croissante qui utilise presque uniquement le bois comme source d'énergie, entraîne un véritable désastre écologique. L'érosion favorise le ruissellement des eaux et le lessivage des sols. Lorsque les paysans ne disposent plus d'assez de bois, ils utilisent comme combustibles les excréments d'animaux séchés, qui, ainsi, n'iront pas enrichir les sols qui en ont tant besoin.

A l'opposé, la Chine dispose, depuis des millénaires, de techniques hautement productives : alternance des cultures pour éviter l'épuisement des sols, utilisation de fumier, irrigation, cultures en terrasses pour retenir la terre.

Devant la croissance de la population, il fallait trouver des moyens pour augmenter la production. On ne pouvait continuer à défricher sans cesse de nouvelles terres, comme en Amérique latine, ni à appliquer des quantités croissantes de travail sur les mêmes terres, comme en Asie. Ce fut l'objet de ce que l'on a appelé la « Révolution verte ». Il s'agit de l'adoption, à partir des années 1960, de variétés à hauts rendements de blé, maïs, riz, qui permettent deux à trois récoltes par an. Le Mexique, pour le maïs et le blé, les Philippines, pour le riz, ont servi de laboratoires d'expérimentation. L'Afghanistan, le Pakistan, l'Inde ont suivi avec succès. Certes, ces variétés exigent une bonne maîtrise de l'irrigation, l'utilisation d'engrais et de pesticides en quantité soutenue. Ces progrès sont donc plus accessibles aux agriculteurs qui disposent de capitaux, et la révolution verte a souvent contribué à creuser les écarts de revenus agricoles. Pourtant, au Pakistan et dans certaines régions de l'Inde, même les petits agriculteurs ont utilisé ces innovations, tout en conservant beaucoup d'anciennes pratiques culturales : labour avec une araire tirée par des bœufs, moisson à la faucille, battage manuel ou avec des bœufs (voir pp. 130-131).

Des pays comme les Philippines, l'Indonésie, le Pakistan et probablement la Chine et l'Inde sont ainsi devenus autosuffisants. La révolution verte n'a cependant quasiment pas touché l'Afrique Noire, à l'exception du Kenya et du Zimbabwe, car les céréales concernées ne sont pas celles de cette région. Ses sols sont plus pauvres, l'irrigation est insuffisante, les techniques culturales ont peu progressé, l'utilisation d'engrais est encore réduite en raison de leur coût. Pour l'Afrique, les experts ont proposé d'autres innovations qui tiennent plus à la reconstitution des sols : alternance de cultures de céréales et de légumineuses qui fixent l'azote, comme

Contribution de l'extension des surfaces et de l'accroissement des rendements à la croissance de la production céréalière

Groupe de pays	Production actuelle (moyenne 1988-1990, millions de tonnes)	Croissance depuis 1961-1963 (%)			Rendement actuel (moyenne 1988-1990, tonnes par hectare)
		Total	Extension des surfaces cultivées	Accroissement des rendements	
Pays en développement	1 315	118	8	92	2,3
Afrique subsaharienne	57	73	47	52	1,0
Asie de l'Est	499	189	6	94	3,7
Asie du Sud	261	114	14	86	1,9
Amérique lat.	105	111	30	71	2,1
Moyen-Orient et Afrique du Nord	41	68	23	77	1,4
Europe et ex-URSS	336	76	- 13	113	2,2
Pays à revenu élevé	543	67	2	98	4,0
Monde	1 858	100	8	92	2,6

Note : l'Afrique du Sud est incluse dans les chiffres relatifs à l'ensemble des pays en développement, mais non dans les chiffres régionaux.
(Source : Rapport sur le développement dans le monde, Banque Mondiale, 1991 ; données de la FAO)

Inégal recul de la pauvreté
en Inde

Nous voici à Khandoï, à 120 km à l'Est de New Delhi, dans le district de Buland-shahr.

La pauvreté recule. Toutes les terres sont maintenant irriguées et mieux que par le passé, grâce aux puits tubés à pompe électrique à partir de 1960. Les nouveaux blés et les engrais chimiques donnent plus de 3 000 kg/ha contre 1 200-1 300 en 1960. Progrès, mais moins net pour la canne à sucre, expansion du bétail et du lait, apparition de jardins potagers et de champs de pommes de terre...

Contrairement aux idées reçues, ces progrès ne sont pas l'apanage des gros propriétaires. Tous, y compris les paysans de 0,25 hectare, participent au mouvement.

Ces résultats de la remarquable paysannerie locale, en particulier les Jats, s'accompagnent d'autres changements, cette fois hors de l'agriculture.

Le négoce se développe dans les bourgs et les villages. Encouragées par l'électrification des campagnes, les petites industries poussent un peu partout : batteuses rustiques, pompes d'irrigation, pièces détachées... Des garages réparent les camions et les tracteurs qui commencent à se faire remarquer, des biens de consommations progressent : bicyclettes, radios, vêtements. Et les nouvelles routes en dur stimulent l'expansion générale dans un fouillis d'autobus, de chars à bœufs, de voitures à cheval.

Conséquence de la croissance et de sa diversification inter-sectorielle : le marché du travail s'élargit. Moissonner à la faucille trois fois plus de blé exige davantage de travailleurs. Il faut aussi plus de chars pour acheminer blé et canne à sucre. Boutiques et industries exigent de la main-d'œuvre nouvelle. Et les maisons en torchis sont de plus en plus remplacées par des maisons en briques.

En 1963, 47 hommes travaillaient hors de Khandoï, ils sont 150 aujourd'hui. La plupart d'entre eux laissent leur famille au village et y envoient leurs économies.

Changement de décor. Arrêtons-nous dans la plaine du Nord-Bihar : belles terres alluviales comme à Khandoï, pluies plus élevées. Et pourtant, ici, la « révolution verte » balbutie.

Vers 1880, toutes les parcelles disponibles ont été défrichées, puis il n'y eut guère de changements jusqu'à l'indépendance. Les hommes s'accumulent, les exploitations se fragmentent. Les rangs des sans-terre se gonflent.

L'irrigation reste très peu développée, d'où chute de la production en cas de sécheresse. Faute de drainage et de digues, les inondations ne sont pas moins meurtrières. Pour corser le tout, les hautes castes n'ont pas la fibre agricole et investissent peu.

Les terres ne dépendent que des pluies. Les pluies mal drainées donnent 350 kg/ha de riz décortiqué, les autres 800 à 1 000 kg/ha.

Les secteurs secondaire et tertiaire n'apportent qu'un faible complément à l'agriculture et la pression démographique est particulièrement lourde.

L'histoire coloniale, la politique locale, la constellation des castes, de très délicats problèmes hydrauliques se combinent pour expliquer cette semi-ankylose qui couvre de vastes régions de l'Est de l'Inde.

Gilbert ETIENNE, *Le Monde*, 31 juillet 1990

le niébé et les pois chiches, plantations de buissons et d'herbes qui coupent le vent, retiennent la terre et sont appréciés des chèvres qui épargnent ainsi les cultures. Dans certaines régions, ils incitent les paysans à la culture en terrasses ou en bandes qui permet de mieux retenir les sols.

Une autre question se pose aux pays du Tiers Monde, celle du choix des productions. Il faut assurer la nourriture d'une population qui ne cesse d'augmenter donc développer les cultures vivrières, céréales, légumes, fruits. Mais les gouvernements souhaitent aussi encourager les cultures d'exportations pour se procurer les devises nécessaires au développement. Pour cela, ils se sont largement ouverts au commerce mondial afin de pouvoir importer machines agricoles, engrais et énergie nécessaires. Ce fut le pari de la Côte d'Ivoire qui sut asseoir une forte croissance dans les années 1970 sur la culture du café et du cacao destinés à l'exportation. Malheureusement, la chute des cours du cacao au milieu des années 1980, a entraîné de grosses difficultés. Le gouvernement a voulu maintenir les prix élevés payés aux producteurs et a organisé un embargo sur l'exportation de cacao. C'était oublier la concurrence d'autres producteurs et la baisse de la demande en raison de l'engouement pour les produits allégés. Au bout de deux ans, la Côte d'Ivoire a dû se résigner à brader son cacao. La chute du PIB a été de 4,6 % en 1990 et de 2 % en 1991 et 1992. La dette ivoirienne est très importante. Malgré un effort de diversification, le cacao et le café représentent encore le tiers de ses exportations. Le Sénégal a, lui aussi, rencontré bien des déboires avec l'hypertrophie de la culture de l'arachide. Cette culture avait été développée dès l'époque coloniale afin de fournir à la métropole une matière première pour les huileries. L'arachide était payée un bon prix et les paysans sénégalais pouvaient acheter du riz tonkinois vendu à un prix inférieur à celui du mil produit sur place. La culture de l'arachide s'est donc étendue au détriment des cultures vivrières, mais surtout sans respect des sols et des temps de jachère. En 1966, dans le cadre de la CEE, la France a dû arrêter ses achats préférentiels d'arachide au Sénégal. Celui-ci s'est alors trouvé exposé à la concurrence internationale, avec une production peu compétitive sur des sols épuisés. Le problème a été aggravé par plusieurs années de sécheresse et un système de commercialisation[10] qui fonctionne mal. L'effondrement du cours de l'arachide a causé de très graves difficultés au Sénégal car c'est – et de très loin –, sa première exportation.

Ce choix des cultures d'exportation expose le pays qui le fait à de grands risques : au changement du goût des consommateurs entraînant la chute des cours, en général fixés dans les pays riches, à la découverte de produits de synthèse qui remplacent la production locale et à l'apparition de nouveaux concurrents qui viennent disputer un marché déjà stagnant.

En fait, le développement agricole s'insère dans un ensemble plus large. Les choix politiques effectués par les pays du Tiers Monde, dans le cadre de leur politique de développement, expliquent aussi la diversité des situations que nous avons constatée.

5. Les choix de développement

Certains pays ont voulu donner une priorité absolue au développement de l'industrie. Dans ce cas, l'agriculture a souvent été sacrifiée sur l'autel du développement industriel. L'Algérie, par exemple, a réservé l'essentiel des investisse-

---

10. Il s'agissait d'un monopole d'Etat et les producteurs étaient payés tardivement et à bas prix. Le FMI vient d'imposer au Sénégal le démantèlement de ce système.

ments publics à l'industrie. Les industries se sont largement installées dans la fertile plaine côtière de la Mitidja, évinçant les exploitations agricoles. La croissance de la production agricole a donc été tout à fait insuffisante pour nourrir une population dont la croissance est très rapide. L'Algérie doit aujourd'hui importer des produits alimentaires alors, qu'en d'autres temps, elle en exportait (29 % de ses importations en 1993 contre 13 % en 1970, ce qui induit une diminution de la part des importations de biens d'équipement nécessaires au développement).

Généralement, les gouvernements de ces pays souhaitent nourrir les habitants des villes à bas prix pour y acheter la paix sociale ; de ce fait, les revenus des paysans restent faibles. Cette politique de bas prix a des effets dévastateurs pour l'agriculture. La pauvreté se maintient en milieu rural. Elle freine les investissements et les tentatives pour modifier les techniques culturales qui permettraient d'augmenter la productivité et elle encourage l'exode rural. En outre, la plupart de ces Etats ponctionnent lourdement le secteur primaire pour financer les dépenses croissantes de l' Etat et lui affectent très peu de dépenses. Les infrastructures restent très insuffisantes pour permettre le développement de la commercialisation, les problèmes de stockage se traduisent par des pertes importantes, le nombre insuffisant d'écoles rurales et la pauvreté des paysans ne favorisent pas l'élévation du niveau d'instruction qui favoriserait le progrès.

A l'inverse, en Corée du Sud, le prix du riz est fixé par le gouvernement très au-dessus du prix mondial, ce qui a permis d'augmenter les revenus des agriculteurs et de freiner l'exode rural. La télévision, le réfrigérateur se sont répandus dans les campagnes, même si le revenu n'y représente que 85 % de celui des citadins. Cette politique de prix élevé a imposé à la Corée du Sud un certain protectionnisme, car ses coûts de production ne lui permettent pas d'être concurrentielle. La plupart des pays du Tiers Monde sont confrontés à la même question, car ils ne peuvent atteindre les niveaux de productivité des pays les plus développés, obtenus avec une utilisation massive d'engrais et de pesticides, ni baisser leurs prix de vente à grands coups de subventions aux agriculteurs ou d'aide à l'exportation, comme le font ces derniers. En 1983, par exemple, le riz de Casamance, région la plus riche du Sénégal, revenait à 3 francs le kilo contre 1,90 franc pour le riz importé. Cette concurrence déloyale, puisque les pays développés bradent leurs excédents, a de graves conséquences pour les pays du Tiers Monde qui ont largement ouvert leurs frontières. Outre une accélération de l'exode rural, les productions locales sont délaissées au profit des produits importés ce qui entraîne une modification des habitudes alimentaires qui accentue la dépendance.

Les pays qui ont réussi leur développement agricole ont d'abord su créer un environnement favorable. Les campagnes sud-coréennes, malaises, taïwanaises disposent de routes convenables, sont électrifiées, le réseau d'irrigation y est développé, les enfants vont à l'école, il y a des dispensaires. En Corée du Sud, se met en place progressivement un système de Sécurité sociale. Augmenter le niveau de vie des agriculteurs, améliorer leur formation, favoriser la circulation et la commercialisation de leurs produits sont autant d'atouts pour favoriser la croissance agricole tout en freinant l'exode rural. Des études internationales ont montré, par exemple, qu'une année de scolarité supplémentaire a permis d'augmenter la production agricole de 2 % en Corée du Sud et de 5 % en Malaisie.

Une autre différence entre les politiques agricoles des pays du Tiers Monde concerne les mesures prises pour favoriser les crédits aux agriculteurs, question d'importance puisqu'elle conditionne l'accès aux moyens de production modernes, l'achat d'engrais, les travaux de pompage… L'Algérie, à partir de 1987, s'est contentée de reprivatiser les terres. Les agriculteurs n'ont reçu d'aide financière ni à travers les banques ni par un fonds spécial, et le coût des emprunts dépasse 20 %, décourageant les investissements. Au contraire, le gouvernement sud-coréen a accordé des prêts bonifiés ainsi que des dégrèvements fiscaux aux agriculteurs pour qu'ils augmentent leur cheptel afin de réduire les importations de viande. Le cheptel a ainsi doublé entre 1981 et 1984. La question du crédit a parfois trouvé des solutions locales simples. Au Mali sont apparues des Caisses rurales autogérées par des paysans qui drainent l'épargne et accordent des crédits à taux faible. Deux fois par semaine, des paysans qui ont reçu une formation passent derrière le guichet et conseillent leurs collègues dans un langage qui leur est commun, bien loin de celui des employés de banque qui méprisaient ces paysans analphabètes incapables de remplir des formulaires. Au Burkina-Fasso s'est mis en place un crédit rural fondé sur le principe de la caution solidaire, qui s'adresse en priorité aux femmes. Le montant du prêt représente six mois à cinq ans de revenu pour les plus pauvres. Il est accordé après examen rigoureux de l'intérêt social et de la viabilité du prêt. Il s'agit soit de financer le démarrage d'une petite activité commerciale, soit de financer l'achat de bœufs. Le projet lancé il y a cinq ans semble une réussite. Remboursés à 98 %, les crédits ont permis de relancer l'économie de plusieurs dizaines de villages.

Enfin, les interventions des organisations internationales dans les pays du Tiers Monde sont très diversifiées et n'ont pas que des effets favorables pour le développement agricole. En cas de famine, ces organisations se mobilisent pour apporter une aide aux populations qui en sont victimes. Mais il faut un certain temps pour que les dons de nourriture arrivent dans le pays. Les moyens de transport sont mobilisés pour l'aide, et manquent alors pour transporter les productions des régions voisines de celle qui est affectée par la famine. L'aide provoque un effondrement des prix de ces productions, ruinant les paysans qui, eux, produisaient encore. Il s'écoule par exemple quatorze mois entre le moment où la décision d'aide de la CEE est prise et le moment où celle-ci arrive dans les pays concernés. Entre-temps, la récolte peut avoir été bonne, mais les agriculteurs seront affectés par la chute des cours provoquée par l'aide gratuite. Par ailleurs, un certain nombre de ces pays sont lourdement endettés et rencontrent des difficultés dans leurs remboursements. Pour obtenir un rééchelonnement de leur dette ou de nouveaux crédits, ils doivent se soumettre aux conditions imposées par le FMI ou la Banque Mondiale et qui ont parfois des conséquences tout à fait négatives pour les agriculteurs. C'est ainsi qu'en 1984, le Sénégal a été contraint de supprimer les subventions, notamment sur les engrais, au nom de la vérité des prix, de supprimer les interventions de l'Etat en matière de commercialisation des produits agricoles, et de privatiser la Caisse nationale du Crédit agricole du Sénégal, ce qui s'est traduit par une hausse du coût des emprunts. L'utilisation d'engrais a diminué, et comme les prêts sont accordés plus aisément aux secteurs liés à l'exportation, les agriculteurs ont cédé à l'attrait des cultures de rente, développant encore les plantations d'arachide et de coton, et s'exposant ainsi davantage aux aléas du marché mondial.

Inversement, des aides au développement rural accordées à certains pays, soit par des ONG[11], soit par le FIDA[12], sans être très spectaculaires, se sont souvent montrées efficaces : aides à la construction de puits, à la mise en place de zones de maraîchage, souvent confiées aux femmes comme au Burkina-Fasso, par exemple. En Indonésie, à Sumatra, le FIDA

---

11. ONG : organisation non gouvernementale.

12. FIDA : Fonds international de développement rural. Il dépend de la FAO.

a confié aux paysans, qui avaient été déplacés de Java surpeu-
plée, une vache, pour les aider au défrichage et aux labours.
En outre, une famille sur six recevait un taureau. Les paysans
avaient cinq ans pour rembourser avec deux veaux, ou sept
ans et il leur en coûtait alors trois veaux. L'opération semble
une réussite.

Ce sont donc ces facteurs, milieu naturel, situation foncière, techniques culturales et politiques de développement,
qui sont essentiels pour comprendre la diversité des situations
agricoles dans le Tiers Monde. Mais, pour tous, un essor de
l'agriculture s'avère nécessaire pour éviter un exode rural
trop rapide. En effet, des millions de ruraux quittent la terre
chaque année. Dans les années 1980, la population des pays
du Tiers Monde a augmenté de 2 % par an et la population
urbaine de 6,9 %, un taux double de celui des années 1970.
C'est en Afrique subsaharienne que cet exode rural a été le
plus rapide ; en 1950, à peine plus d'un habitant sur dix y
vivait dans les villes ; en 1990, il y en a près de un sur trois.
L'analyse de la décision d'émigrer vers les villes a fait l'objet
de controverses.

En 1969, M. Todaro[13], présentait une analyse libérale de la
décision d'émigrer, fondée sur la rationalité économique. Les
travailleurs choisiront de rester en milieu rural ou de partir
vers la ville en fonction des coûts et des avantages respectifs
de chaque situation. Parmi les avantages de la migration vers
la ville, on trouve l'espoir d'un revenu supérieur, le confort
urbain, un meilleur accès à l'éducation et aux services de
santé[14]. Parmi les coûts de la migration , il y a le coût de la vie

13. M. Todaro, « A model of labor migration and urban unemployment in
    less developed countries », in *American Economic Review 59*, n°1, 1969.
14. En moyenne, dans les pays du Tiers Monde, 81 % des citadins en 1992
    ont un accès raisonnable à l'eau potable contre 40 % des ruraux ; 60 %
    des citadins disposent d'installations sanitaires contre 27 % des ruraux.
    88 % des habitants des villes ont accès aux services de santé contre 44 %
    des ruraux.

plus élevé en ville, le coût du transport, le risque de chômage et le coût psychologique lié à la séparation avec la famille et le village. Si l'écart de rémunération entre la ville et la campagne est important, la décision d'émigrer l'emportera, même si le risque de chômage est élevé, d'autant plus que les candidats à l'émigration sont en général plus jeunes et plus aventureux. Ils ont donc tendance à sous-évaluer le risque, et à surestimer le gain attendu, car ils se fient aux salaires du secteur moderne auquel ils ont, en fait, peu de chances d'accéder dans un premier temps.

D'autres économistes ou anthropologues réfutent ce modèle. Pour eux, c'est la pénétration du capitalisme qui chasse les ruraux. La concentration des terres les fait passer de la condition de petit exploitant en bordure d'un grand domaine, comme nous l'avons vu dans le cas du Brésil, à celle de journalier, puis la misère les pousse à l'exil. En Afrique, la pénétration des cultures commerciales sur les terres les plus riches condamne les petits exploitants à l'essartage sur les terres les moins favorisées et là aussi, la misère les chasse. Si l'on y ajoute la pression démographique, et la pression fiscale exercée par des gouvernements qui, au mieux, cherchent à financer le développement de l'industrie, et au pire à s'enrichir, on comprend aisément que, sans une politique volontariste d'aide au développement de l'agriculture, l'exode rural ne puisse être maîtrisé. Loin de contribuer à l'amélioration du niveau de vie dans les pays concernés, il se traduit par une augmentation de la pauvreté. L'exemple de la Thaïlande éclaire bien ce phénomène[15]. A Bangkok vivent 1,6 million de travailleurs migrants. Les jeunes hommes sont employés dans la construction et l'agriculture saisonnière, les jeunes filles sont ouvrières dans les usines travaillant pour

---

15. M. CHOSSUDOVSKY, « Les campagnes thaïlandaises pauvres et tellement rentables », in *Le Monde diplomatique*, mai 1991.

l'exportation, domestiques, serveuses ou prostituées. Avant la crise du SIDA, il y avait plus d'un million de prostituées à Bangkok et dans les villes thaïs. La prostitution concerne aussi entre 200 000 et 800 000 enfants, selon les estimations. Plus qu'aux touristes, elle est destinée au marché intérieur et c'est la principale source d'« emplois » urbains pour les jeunes filles des campagnes. La prostitution fait partie intégrante du « modèle de développement ». En effet, des investissements massifs ont été faits dans ce secteur, avec la construction de salons de massage et d'hôtels. Et dans bon nombre de villages du Nord-Est, la prostitution est considérée comme une indispensable source de revenus pour les familles pauvres.

Assurer une croissance équilibrée de l'agriculture et de l'industrie, et maîtriser l'exode rural, apparaît comme une nécessité pour le développement.

Entretien

René Dumont

René Dumont, agronome, est l'auteur de *L'Afrique Noire est mal partie*, 1962, et de nombreux autres ouvrages sur le sous-développement, dont *Pour l'Afrique, j'accuse*, paru en 1986 et *Démocratie pour l'Afrique*, 1991, écrit en collaboration avec Charlotte Paquet.

———

– Comment analysez-vous la situation catastrophique de l'agriculture africaine ?

L'Afrique est d'abord victime de l'échange inégal. On ruine l'Afrique car on lui achète bon marché ses matières premières et on lui vend cher nos équipements. Et la Banque Mondiale porte une responsabilité dans cette situation. En 1980, alors qu'il y avait assez de cacao en provenance d'Afrique et d'Amérique latine pour satisfaire la demande mondiale, la Banque Mondiale a décidé de développer la culture du cacao en Malaisie et en Indonésie, parce qu'elle estimait que les prix devaient baisser. Bien encadrés, bien éduqués, plus travailleurs, les paysans de ces pays sont devenus plus compétitifs que les paysans africains. Le cours du cacao s'est effondré, ruinant de nombreux agriculteurs africains. La Banque Mondiale ne cesse de rechercher une baisse des cours comme si c'était une loi divine. Mais la CEE est parvenue à l'autosuffisance en protégeant son agriculture et en soutenant les cours des produits agricoles. Aujourd'hui, le GATT met le monde entier en compétition pour les céréales et cela ruine l'agriculture des plus pauvres. Mettre en compétition l'agriculteur de Ouagadougou, qui dispose d'un sol pauvre, d'un climat semi-aride et d'une houe, avec l'agriculteur américain, qui dispose de sols riches, d'un climat favorable et d'un tracteur, c'est comme organiser une course entre les meilleurs coureurs à pied du Sénégal et les voitures du Paris-Dakar !

Le second grand problème de l'Afrique est celui de la croissance de sa population. Si le taux actuel de croissance de la population se maintient, on verra la population de l'Afrique tropicale doubler en vingt-deux ans. Compte tenu de la malnutrition actuelle, et de la difficulté qu'aura ce continent à augmenter ses importations alimentaires, en raison de son endettement, il faudrait, dans les vingt ans à venir, multiplier par 2,5 la production agricole africaine pour subvenir aux besoins. Cela paraît tout à fait irréalisable, compte tenu de la dégradation de l'environnement, et de l'aggravation de la sècheresse en raison de l'effet de serre, lié à notre abus de combustibles fossiles. La situation démographique doit être corrigée, comme elle l'a été en Chine à partir de 1970, sous peine d'une misère intolérable.

Enfin, l'Afrique souffre de politiques agricoles inappropriées. On peut prendre l'exemple de l'aménagement du fleuve Sénégal. Pour permettre à la région de parvenir à l'autosuffisance alimentaire, les entrepreneurs ont réussi à convaincre les autorités de la nécessité de construire deux barrages géants sur le fleuve Sénégal , l'un à Manantali, au Mali, l'autre à Diama, au Sénégal. Au prix d'environ un milliard de dollars, ces barrages devaient permettre l'irrigation de 340 000 hectares pour la culture du riz, la production d'électricité, et la navigation. Or, en cinq ans – de 1984 à 1989 –, le Sénégal n'a réussi à aménager que 8 000 hectares, ce qui était prévu pour une année. La production d'électricité n'a pas démarré puisqu'on ne s'est pas mis d'accord sur le tracé de la ligne à haute tension qui coûtera fort cher. Quant à la navigation, seules quelques pirogues empruntent l'écluse qui devait permettre le passage de barges pouvant porter 3 000 tonnes. Nous avions proposé d'autres solutions, comme une série de petits barrages desservant chacun quelques milliers d'hectares. Aménagés en même temps, ils auraient pu être utilisés à plein dès le départ. Il faut faire les choses peu à peu. La Chine a mis plusieurs siècles à passer de la culture pluviale à la culture d'irrigation.

– Quel est le rôle particulier des femmes dans le travail agricole en Afrique ?

Les femmes assument 70 % des travaux agricoles, dont la quasi totalité des travaux de portage du bois, de l'eau et des récoltes. Près de Dodoma, en Tanzanie, les hommes ne travaillent guère qu'en saison des pluies, environ 6 heures par jour, pendant 80 jours, soit 480 heures par an, contre près de 4 000 heures pour les femmes. Elles n'ont pratiquement aucun instrument à leur disposition et portent presque tout sur la tête. Elles tirent l'eau du puit avec une corde sans poulie. Leur productivité est de ce fait très faible malgré un travail très dur. Les sociétés africaines ne s'intéressent pas à la pénibilité du travail des femmes dont il faudrait pourtant alléger le fardeau. Il faudrait aussi un travail de vulgarisation des techniques agricoles fait par des femmes pour être plus adapté à leurs besoins. Et pour qu'elles puissent pleinement y accéder, il faudrait des progrès dans leur alphabétisation. Enfin, les femmes sont souvent désavantagées lors de la répartition des terres par les chefs. Elles ne sont pas sûres d'avoir chaque année la jouissance de la même terre. Elles n'osent donc pas faire certains travaux qui ne sont rentables qu'à plus long terme, fumer la terre, planter des arbres, poser un grillage pour protéger les cultures. Cette difficulté d'accès à la terre leur rend difficile l'accès au crédit, puisqu'elle n'ont pas de gage à offrir. Ecrasées de travail, elles le sont aussi par le nombre de leurs enfants.

L'Afrique ne s'en sortira pas si elle continue à refuser à la majorité des femmes un minimum d'instruction, des moyens de production et un statut social qui leur permette de jouer le rôle qui leur revient. Sans émancipation des femmes, il n'y aura pas de vraie démocratie.

– Quelles recommandations prioritaires feriez-vous pour le Tiers Monde aujourd'hui ?

Il faut réduire l'écart Nord-Sud. Comme on ne peut offrir au Tiers Monde notre niveau de vie, qui est un niveau de gaspillage, puisque les ressources sont limitées, il faut les sortir de la misère pour les amener à une pauvreté digne, c'est-à-dire leur assurer le développement humain : une nutrition correcte, la santé, une éducation généralisée. Il faut des crédits pour assurer ce développement humain. Or, c'est à l'inverse qu'aboutissent les politiques d'ajustements structurels imposés par la Banque Mondiale. Elles imposent une réduction des déficits budgétaires qui amènent les gouvernements concernés à trancher dans les dépenses de santé et d'éducation. Il y a aujourd'hui, en Afrique, des villages sans écoles, des écoles avec cent élèves, mais sans livres ni cahiers.

Il faut ensuite que les productions agricoles du Tiers Monde soient payées correctement. Ce sera un moyen de réduire les risques de guerre civile. Les paysans sont plus faciles à enrôler dans un pays ruiné que s'ils mangent à leur faim et que leurs produits sont payés correctement. Il faut enfin que l'impôt ne serve plus à une administration pléthorique et inefficace.

En Chine, on respecte dans l'ordre, l'éducateur, puis le paysan , ensuite le commerçant et enfin le soldat. En Afrique, le soldat et le prêtre sont en tête. Le soldat a des esclaves pour cultiver. Le métier de paysan est donc un métier d'esclave, à plus forte raison si le paysan est une femme. Cette hiérarchie sociale modifie les conditions du développement.

CHAPITRE V

Une situation sociale et politique souvent explosive

■

Dans ses écrits, F. Perroux insiste sur le fait que le développement représente une transformation des structures démographiques, économiques et sociales qui accompagnent la croissance : transition démographique, industrialisation, urbanisation, salarisation, transformation des mentalités. Or, dans bon nombre de pays du Tiers Monde, on est très loin du développement. La croissance rapide de la population et l'exode rural ont engendré la multiplication de mégapoles géantes peu à peu asphyxiées par le retard des infrastructures. Les ruraux, attirés par les mirages de la ville, n'y trouvent pas les emplois espérés et le chômage y est important. Le secteur informel accueille toutefois une partie d'entre eux, leur assurant un revenu qui leur permet de survivre. La pauvreté et l'insuffisance des dépenses sociales consacrées à l'éducation et à la santé créent une situation sociale explosive, aggravée par l'augmentation des inégalités qui accompagne en général le début de la croissance.

Les insuffisances du développement sont aussi liées à la situation politique. Peu de pays du Tiers Monde sont des démocraties. La plupart ont des régimes autoritaires où un groupe social ou ethnique confisque le pouvoir afin d'accroître sa richesse. Cette situation a été favorisée par l'absence de passé de ces Etats. Nombre d'entre eux ont été créés d'un trait de plume par les colonisateurs. Les frontières artificielles qui en ont résulté sont source de nombreux conflits entre Etats ou interethniques, qui durent parfois depuis très longtemps (plus de seize ans en Angola). C'est dans le Tiers Monde que se déroulent la plupart des conflits actuels, et la fin de la division du monde en bloc n'a pas fait disparaître cette situation.

1. Des mégapoles géantes
où sévit le sous-emploi

La croissance de la population et l'exode rural expliquent le développement rapide des villes dans les pays du Tiers Monde. São Paulo, au Brésil, comptait 1 million d'habitants sur une superficie de 150 km² en 1930, 4 millions d'habitants sur 750 km² en 1962, 12 millions d'habitants sur 1 400 km² en 1980 et devrait en compter 26 millions d'ici la fin du siècle. Ce cas n'est pas isolé. De 1950 à 1990, la population urbaine des pays du Tiers Monde a quintuplé, passant de 286 millions à 1, 515 milliard. En 1992, sur les vingt et une villes dont la population dépasse 10 millions d'habitants, dix-sept se situent dans le Tiers Monde. Tout porte à croire qu'à ce rythme, la population urbaine aura encore doublé d'ici à 2020. Les villes du Tiers Monde seront devenues géantes. On prévoit 31 millions d'habitants pour Mexico, 16 millions pour Rio de Janeiro, Bombay, Calcutta, Djakarta, etc. L'Afrique elle-même, qui pendant des siècles fut peuplée à 95 ou 99 % de paysans et de pasteurs, est à son tour l'objet d'une urbanisation galopante. Les deux tiers de la croissance démographique (3 % par an) sont maintenant le fait des villes. Lagos compte 10 à 12 millions d'habitants pour une population totale de 110 millions de Nigérians. D'après la Banque Mondiale[1], en 2020 pour la première fois, la population urbaine sera plus nombreuse que la population rurale. Cette « urbanisation cancéreuse » a des conséquences économiques et sociales qui pourraient vite se révéler catastrophiques.

Dans les grandes villes de la plupart des pays du Tiers Monde, 25 à 50 % de la population n'a pas accès à l'eau potable et au tout à l'égout. L'enlèvement des ordures est loin d'être assuré. A Kinshasa, au Zaïre, les autobus doivent éviter certaines rues bloquées par des tas d'immondices. A Lagos, au Nigeria, chaque dernier samedi du mois, la circulation automobile est interdite pour permettre aux camions-bennes de nettoyer les rues. A Ibadan, au Nigeria, à la suite d'un grand nettoyage, tous les détritus ont été jetés dans le lit des rivières, au risque de les polluer définitivement et d'augmenter les risques d'épidémie à chaque saison des pluies et de crues. Il est à craindre que des épidémies de choléra, comme celle qu'ont connues Lima, au Pérou, et d'autres grandes villes d'Amérique latine, en 1990-1991, ne se multiplient. La croissance très rapide des villes se traduit aussi par une augmentation du prix des terrains dans le centre des villes et de la spéculation immobilière, avec comme conséquence le développement des bidonvilles et des habitations bon marché, loin du centre. Comme il n'y a pas de plan d'occupation des sols, les lieux d'activité sont souvent très éloignés des lieux d'habitation. Certaines villes ont entrepris la construction de métros : Mexico, São Paulo, Caracas, Calcutta, Séoul et

---

1. « Politique urbaine et développement économique : un agenda pour les années 90 », Banque Mondiale, 1991.

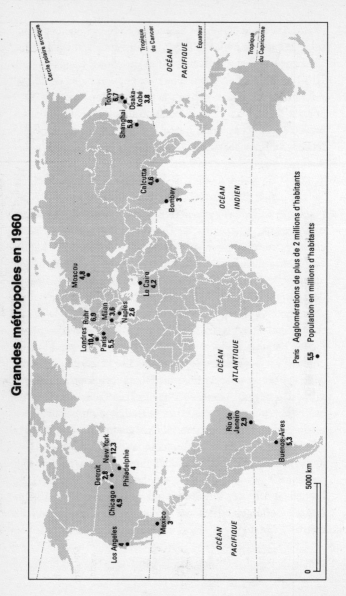

Grandes métropoles en 1960

Tokyo 6,7
Osaka-Kobé 3,8
Shanghai 5,8
Calcutta 4,6
Bombay 3
Moscou 4,8
Le Caire 4,2
Ruhr 6,9
Milan 3,6
Naples 2,6
Londres 10,4
Paris 5,5
Detroit 2,8
New York 12,3
Philadelphie 4
Chicago 4,9
Los Angeles 4
Mexico 3
Rio de Janeiro 2,9
Buenos-Aires 5,3

Paris Agglomérations de plus de 2 millions d'habitants
5,5 Population en millions d'habitants

0   5000 km

OCÉAN PACIFIQUE
OCÉAN INDIEN
OCÉAN ATLANTIQUE
OCÉAN PACIFIQUE

Cercle polaire arctique
Tropique du Cancer
Équateur
Tropique du Capricorne

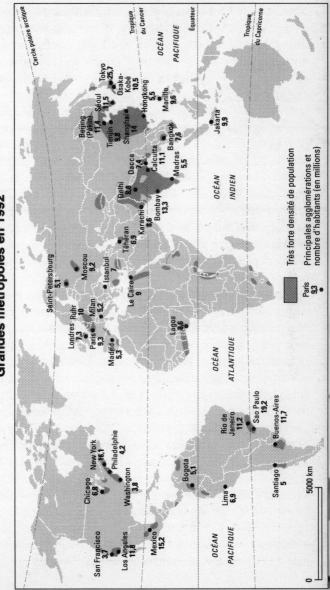

Grandes métropoles en 1992

Très forte densité de population

Principales agglomérations et nombre d'habitants (en millions)

Paris 9,3

0   5000 km

Cercle polaire arctique

Tropique du Cancer

Équateur

Tropique du Capricorne

OCÉAN PACIFIQUE

OCÉAN INDIEN

OCÉAN ATLANTIQUE

OCÉAN PACIFIQUE

Tokyo 25,7
Osaka-Kobé 10,5
Séoul 11,5
Hong-Kong 5,5
Manille 9,6
Beijing (Pékin) 11,1
Tianjin 9,3
Shanghaï 14
Jakarta 9,9
Bangkok 7,6
Dacca 7,4
Calcutta 11,1
Madras 5,5
Delhi 8,8
Bombay 13,3
Karachi 8,6
Téhéran 6,9
Le Caire 9
Istanbul 7
Moscou 9,2
Saint-Pétersbourg 5,1
Londres 7,3
Ruhr 10
Milan 5,2
Paris 9,3
Madrid 5,3
Lagos 8,6
Rio de Janeiro 11,2
São Paulo 19,2
Buenos-Aires 11,7
Bogota 5,1
Lima 6,9
Santiago 5
New York 16,1
Philadelphie 4,2
Chicago 6,8
Washington 3,8
San Francisco 3,7
Los Angeles 11,8
Mexico 15,2

Shanghai. Mais le financement s'en avère difficile car la forte montée des taux d'intérêt augmente le coût des investissements, de sorte que ces villes ne voient plus comment créer les lignes nécessaires en suivant le rythme de la croissance urbaine. Quant aux lignes d'autobus, elles sont souvent encombrées, dangereuses, en raison de la vétusté des véhicules, et déficitaires. La Banque Mondiale propose une privatisation de ces services en donnant comme exemple les systèmes privés performants de Hong Kong ou Buenos Aires, qu'elle oppose à l'énorme déficit – un million de dollars par mois – des 1200 autobus de Calcutta. C'est oublier un peu vite que la population, lorsqu'elle est trop pauvre, ne paie pas, et que la privatisation ne résout pas cette difficulté, au contraire ! A Santiago du Chili où on a privatisé, les prix ont beaucoup augmenté, et cette ville a aujourd'hui des autobus qui sont parmi les plus chers et les moins fréquentés au monde. Enfin, la circulation des automobiles, motos, scooters augmente plus rapidement que la population et les revenus. L'aménagement du réseau routier en ville ne suit pas ce développement. Les rues sont souvent étroites et voient se multiplier des encombrements gigantesques qui immobilisent les centres villes pendant des heures et augmentent encore les durées de trajet des actifs, déjà fort longues. Diverses restrictions de la circulation ou du stationnement ont été expérimentées avec plus ou moins de bonheur. A Hong Kong, les taxes sur les véhicules individuels aboutissent à multiplier leur prix par deux. A Singapour, depuis 1975, les habitants qui souhaitent accéder aux centre ville avec leur automobile aux heures de pointe, doivent s'acquitter d'une taxe, et même d'une surtaxe si le véhicule circule avec moins de quatre personnes à son bord. Depuis, la vitesse de circulation dans la zone protégée a augmenté de 20 %. Par contre, à Lagos, le système consistant à réserver la circulation les jours pairs aux automobiles munies d'une plaque d'immatriculation avec un numéro pair et inversement pour les plaques impaires a échoué, les automobilistes s'étant simplement munis de fausses plaques ! Cet accroissement de la circulation automobile engendre une forte pollution de l'air des villes et le gaz carbonique rejeté accroît l'effet de serre. Les gaz d'échappement sont responsables de 90 % de la pollution de l'air à São Paulo. Là, comme à Mexico, on constate une forte augmentation des maladies respiratoires en raison de la pollution.

La croissance de la population des villes est par ailleurs plus rapide que les créations d'emplois, même dans les pays où le taux de croissance est élevé, comme la Chine, et à plus forte raison dans ceux où elle est languissante, comme le Nigeria. Il en résulte un chômage ou plus exactement un sous-emploi élevé. L'évaluation du chômage et de l'emploi dans les pays du Tiers Monde est en effet une question complexe. Si l'on considère qu'avoir un emploi, c'est avoir un travail qui assure un revenu minimum à l'individu pour lui permettre de survivre ainsi que ses enfants, et qu'être chômeur c'est ne pas travailler du tout, alors le chômage est assez rare dans les pays du Tiers Monde, sauf dans certaines grandes villes. L'emploi et le chômage doivent être appréciés différemment dans les pays du Tiers Monde. Tout d'abord, une grande partie du travail n'y donne pas lieu à rémunération, car il est réalisé dans la famille ou le village. C'est le cas des activités agricoles qui permettent l'autoconsommation. Ensuite, une grande partie du travail est effectué dans le cadre d'activités informelles[2].

---

2. Le secteur informel rassemble les activités qui ne sont ni agricoles ni modernes. Il s'agit d'activités qui se déroulent en marge des règles fiscales et légales. Cela va d'activités qui seraient légales si elles étaient déclarées, comme celles des maçons, menuisiers, garagistes, chauffeurs de taxi, vendeurs à la sauvette, cuisiniers et vendeurs sur les marchés, cireurs de chaussure, à des activités illégales comme le trafic de drogue ou de devises.

Ce secteur n'exige guère de capitaux ni de formation. L'accès en est facile. Le revenu obtenu dépend de la production qui, elle-même, dépend de la demande. Il occupe 30 à 50 % des actifs dans de nombreux pays du Tiers Monde et représente 30 à 40 % du PIB de ces pays. Au Pérou, par exemple, le secteur informel domine les transports publics et l'industrie du bâtiment. Il a construit des quartiers entiers, et pas seulement des bidonvilles.

Dans la vision libérale[3], le secteur informel est analysé comme un moyen d'échapper aux réglementations tatillonnes et à l'excès de fiscalité qui paralyseraient l'esprit d'entreprise dans ces pays. Pour les marxistes, il jouerait un rôle équivalent à celui de la flexibilité dans les pays développés. Le capital s'y assurerait une rentabilité en produisant et en vendant à bas prix des produits qui seraient plus chers s'ils étaient produits dans le cadre légal, et qui ne pourraient alors être écoulés en raison de l'insuffisance de la demande solvable dans les pays du Tiers Monde. Pour les keynésiens enfin, et cela correspond aux analyses du Bureau international du Travail, le secteur informel apparaît comme une forme de protection qui permet d'assurer la survie des ménages en utilisant leur travail et les ressources locales, sur un marché où il est facile d'entrer.

Il n'y a pas de frontière étanche entre le secteur d'activité déclaré et le secteur informel. Le brassage des emplois est permanent. Le secteur informel ne rassemble pas que les nouveaux immigrants en ville. Un salarié du secteur moderne licencié peut très bien se retrouver vendeur de journaux dans la rue, ou s'installer à son compte comme commerçant. En Chine, de nombreux fonctionnaires ou salariés d'entreprises d'Etat économisent leurs forces dans la journée pour se lancer

3. H. de SOTO, *El otro sendero : la revolucion informal* , Ed. La Oveja Negra, Bogota, 1986.

le soir dans un second travail : restaurateur, vendeur sur un marché. En Amérique latine, il est fréquent qu'un homme entre dans la vie active dans le secteur informel, puis parvienne à se faire embaucher dans une entreprise moderne et, enfin, grâce à son épargne, arrive passé la quarantaine à créer une petite entreprise, où il embauchera à son tour de jeunes « informels ».

De nombreux pays du Tiers Monde ont donc un salariat instable, à l'exception des fonctionnaires. Le statut de fonctionnaire y est souvent très apprécié, non pas en raison des salaires, souvent faibles, mais parce qu'il assure une certaine sécurité et permet souvent le cumul avec une autre activité plus rémunératrice, second emploi comme en Chine, ou racket pur et simple comme celui que pratiquent de nombreux policiers de Lagos. Il faut dire que leur salaire n'est que de 135 nairas par mois alors qu'un sac de cinquante kilos de riz en coûte 450.

Cette situation de sous-emploi explique la pauvreté qui règne dans la quasi totalité des pays du Tiers Monde, les pays asiatiques ne constituant qu'une exception et encore, puisque seuls Taïwan, Singapour, la Corée du Sud et Hong Kong échappent réellement à ce fléau.

2. La difficulté à faire face aux besoins de santé et d'éducation

Au Bangladesh, plus du tiers de la population est sans emploi et 60 % des ruraux sont, d'après la Banque Mondiale, dans une misère totale. Au Brésil, près d'une famille sur cinq est dans l'impossibilité d'acheter des biens autres qu'alimentaires, un tiers ne peut satisfaire ses besoins essentiels et deux tiers vivent dans la pauvreté. Il reste donc d'énormes besoins

Bilan du développement humain

Progrès	
Espérance de vie • L'espérance de vie moyenne a augmenté de plus d'un tiers au cours des trois dernières décennies. Dans 23 pays en développement, elle est égale ou supérieure à 70 ans.	
Santé et assainissement • Dans le monde en développement, plus de 70 % de la population a accès aux services de santé. • Près de 60 % de la population du monde en développement a aujourd'hui accès à l'assainissement.	
Alimentation et nutrition • De 1965 à 1990, le nombre de pays où les besoins quotidiens de calories étaient satisfaits a plus que doublé, le nombre s'étant établi à environ 50.	
Enseignement • Le taux de scolarisation dans l'enseignement primaire a augmenté au cours des deux dernières décennies et est passé de moins de 70 % à près de 90 %. Au cours de la même période, le taux de scolarisation dans l'enseignement secondaire a presque doublé, étant passé de moins de 25 % à 40 %.	

dans les pays en développement

MANQUES
• Seuls 20 % des 300 millions de personnes âgées de plus de 60 ans ont des revenus garantis d'une façon ou d'une autre.
• Quelques 17 millions de personnes meurent chaque année de maladies infectieuses ou parasitaires, telles que les maladies diarrhéiques, le paludisme et la tuberculose. • Environ 95 % des 10 à 12 millions de porteurs du VIH (virus de l'immunodéficience humaine) vivent dans le monde en développement et les coûts cumulés, directs et indirects, du SIDA, au cours de la dernière décennie, se situent aux alentours de 30 milliards de dollars.
• Environ 800 millions de personnes n'ont toujours pas une alimentation suffisante.
• Près d'un milliard de personnes – 35 % de la population adulte – sont encore illettrées, et le taux d'abandon au niveau de l'enseignement primaire est encore de 30 %.

PROGRÈS	
Revenu et pauvreté • En Asie du Sud et de l'Est, où vivent les deux tiers de la population du monde en développement, la croissance du PNB a été en moyenne de 7 % au cours des années 1980.	
Enfants • Au cours des trente dernières années, les taux de mortalité des jeunes enfants et des moins de cinq ans ont été réduits plus que de moitié.	
Femmes • Le taux de scolarisation dans l'enseignement secondaire pour les filles est passé d'environ 17 % en 1970 à 36 % en 1990.	
Sécurité • Avec la fin de la guerre froide, les pays en développement n'ont plus à servir d'instruments de rivalité entre les superpuissances. En 1990, quelque 380 000 réfugiés ont été rapatriés en Asie, en Afrique, et en Amérique latine.	
Environnement • Le pourcentage de ménages ruraux ayant accès à l'eau potable est passé de moins de 10 % à près de 60 % au cours des deux décennies écoulées.	

MANQUES
• Environ 1,3 milliard de personnes, soit près d'un tiers de la population du globe, vivent dans la pauvreté absolue.
• Chaque jour, 34 000 enfants en bas âge meurent encore de malnutrition et de maladie.
• Les deux tiers des illettrés sont des femmes.
• Quelque 60 pays sont en proie à des conflits intérieurs et environ 35 millions de personnes sont réfugiées ou déplacées dans leur propre pays.
• Plus de 850 millions de personnes vivent dans des régions frappées par la désertification à différents degrés. • La destruction des forêts tropicales progresse à un taux équivalent à environ un terrain de football par seconde.

(Source : Rapport sur le développement humain, PNUD, 1993)

Indicateurs socio-démographiques

	Espérance de vie à la naissance (années) 1992	Taux de mortalité infantile (moins de 1 an) (‰) 1992	
Pays à développement humain élevé	72,9	38	
Hong Kong	78,6	7	
Corée du Sud	71,1	11	
Mexique	70,8	36	
Brésil	66,3	58	
Thaïlande	69	37	
Pays à développement humain moyen	66,8	48	
Philippines	66,3	44	
Algérie	67,1	55	
Bolivie	59,4	75	
Pays à développement humain faible	55,8	93	
Inde	60,4	82	
Somalie	47	122	
Guinée	44,5	134	

de quelques pays du Tiers Monde

Population ayant accès à l'eau potable (%) 1988-1993	Taux d'alpha-bétisation des adultes (%) 1992	Dépenses de santé (en $ par habitant) 1990	PNB par habitant (dollars) 1993
85	89	–	23 090
100	100	699	18 060
93	97	377	7 660
84	89	89	3 610
87	82	132	2 930
77	94	73	2 110
68	78	–	2 480
–	94	14	850
68	57	166	1 780
54	81	25	760
65	48	–	380
–	50	21	300
37	–	8	120
55	33	19	500

(Source : Rapport sur le développement humain, PNUD, 1995 et Rapport sur le développement dans le monde, Banque Mondiale, 1993 et 1995)

à satisfaire, comme le révèle le rapport sur le développement humain du PNUD.

Dans les pays développés, on se tourne généralement vers l'Etat pour qu'il assure sa mission de protection. Dans les pays du Tiers Monde, ses ressources ne le lui permettent généralement pas. Comment assurer à la fois, d'une part le soutien de la croissance économique et les créations d'emplois nécessaires et, d'autre part, le financement des dépenses de santé et d'éducation qui ne cessent de croître ? En Algérie, par exemple, 50 % de la population a moins de 20 ans. Pour que ces jeunes trouvent un emploi à la sortie du système scolaire, il faudrait créer 256 000 emplois par an alors qu'il n'y a en tout que 3,8 millions d'emplois dans le pays. A peine la moitié d'entre eux trouve un emploi. Quant aux dépenses de santé et d'éducation, elles représentent déjà 10 % du PIB et il serait nécessaire de les augmenter encore, car les besoins sont énormes.

Sur les trois millions de morts par an du fait de la tuberculose dans le monde, 95 % se trouvent dans les pays du Tiers Monde. Cinq cent millions de personnes sont victimes de maladies tropicales et 2,5 milliards y sont exposées. Pourtant, cet état sanitaire est loin d'être une malédiction liée au climat.

Le premier responsable en est la pauvreté. On meurt beaucoup de tuberculose dans les pays du Tiers Monde, alors qu'on en meurt peu dans les pays développés. C'est la pauvreté des migrants qui arrivent en ville et vivent dans des taudis en n'ayant pas assez d'argent pour se nourrir convenablement qui en fait les victimes désignées de cette maladie ainsi que du choléra, la « maladie des mains sales », qui a sévi en Amérique du Sud, en 1990-1991, et s'est propagée en raison du manque d'hygiène et de l'insuffisance de la distribution d'eau potable.

Ces pays ne disposent pas de ressources suffisantes pour lutter contre ces maladies, assurer les vaccinations préventives, former les médecins en nombre suffisant, construire des hôpitaux et leur assurer les crédits de fonctionnement qui leur permettent d'accueillir les malades avec un minimum d'hygiène et de soins. Les dépenses de santé représentent 1 860 dollars par habitant dans les pays développés, contre 105 en Amérique latine, 21 en Inde, et 24 en Afrique. Les hôpitaux du Tiers Monde sont souvent surpeuplés, les couloirs encombrés de malades qui attendent un lit, les médecins et infirmières débordés manquent souvent de tout, d'antibiotiques, de calmants, d'antiseptiques même. Le nombre de médecins y a certes augmenté, mais alors qu'il y a un médecin pour 1 383 habitants dans les pays développés, il y en a un pour 18 654 habitants dans les PMA et ils sont souvent concentrés dans les grandes villes.

Enfin, les pays développés portent une part de responsabilité. Tout d'abord, la recherche sur les maladies tropicales est très en retard. L'ancien président du groupe pharmaceutique Ciba-Geigy, M. Nikitin, déclarait qu'il s'agit d'un marché peu intéressant, en raison de l'insolvabilité de la population. Par ailleurs, les firmes pharmaceutiques s'opposent à la création de « produits blancs », c'est-à-dire sans marque, qui seraient moins coûteux, et éviteraient le gaspillage des crédits de la santé.

Certes, des progrès ont été réalisés, dont témoigne l'augmentation de l'espérance de vie à la naissance. Mais ces progrès sont très inégaux (voir p. 168). Les progrès ont été plus rapides en Asie qu'en Amérique latine, et surtout qu'en Afrique, et l'écart avec les pays développés où l'espérance de vie est de 77 ans se maintient.

Une bombe à retardement nouvelle pèse aujourd'hui sur les pays du Tiers Monde : le SIDA. En 1993, on estime que plus de 13 millions d'adultes sont infectées par le VIH, dont 8 millions en Afrique subsaharienne. En Asie, tuberculose et SIDA risquent de se propager et l'on craint le retour des

La population du monde en 1950 (Représentation en anamorphose)

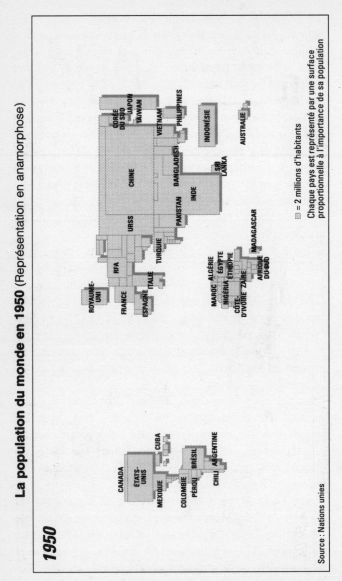

1950

■ = 2 millions d'habitants

Chaque pays est représenté par une surface proportionnelle à l'importance de sa population

Source : Nations unies

La population du monde en 2025 (Représentation en anamorphose)

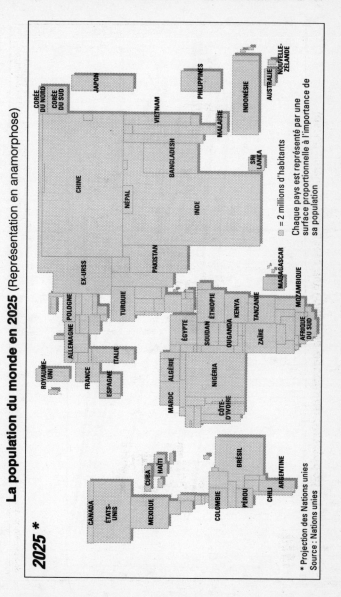

2025 *

* Projection des Nations unies
Source : Nations unies

= 2 millions d'habitants

Chaque pays est représenté par une surface proportionnelle à l'importance de sa population

Tendances de l'espérance de vie

Espérance de vie à la naissance (années)

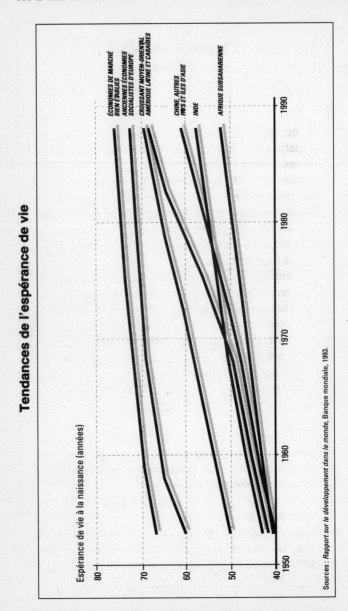

ÉCONOMIES DE MARCHÉ
BIEN ÉTABLIES
ANCIENNES ÉCONOMIES
SOCIALISTES D'EUROPE
CROISSANT MOYEN-ORIENTAL
AMÉRIQUE LATINE ET CARAÏBES
CHINE AUTRES
PAYS ET ÎLES D'ASIE
INDE
AFRIQUE SUBSAHARIENNE

80
70
60
50
40

1950 1960 1970 1980 1990

Sources : *Rapport sur le développement dans le monde*, Banque mondiale, 1993.

L'impact économique
du SIDA

L'épidémie de SIDA, du fait de ses répercussions sur l'épargne et la productivité, risque de compromettre la croissance dans de nombreux pays déjà en proie à de graves difficultés économiques. En s'aidant de modèles de simulation, la Banque Mondiale a calculé que l'épidémie entraînerait, dans les 10 pays les plus gravement touchés d'Afrique subsaharienne, une réduction moyenne de 0,6 point du taux annuel de croissance économique. [...]

L'impact macroéconomique considérable du SIDA tient en partie au coût élevé du traitement, qui absorbe des ressources qui seraient, autrement, consacrées à des investissements productifs. [...]

Pour un adulte, le coût des soins, qui dépend évidemment de leur nature et de leur intensité, va de 8 à 400 % du revenu annuel par habitant ; pour la majeure partie des pays en développement, la moyenne se situe aux alentours de 150 % du revenu annuel par habitant.

L'impact économique du SIDA est d'autant plus considérable qu'un grand nombre de ses victimes sont des adultes dont les qualifications professionnelles sont précieuses pour le pays. [...]

On a constaté que, dans une usine textile de Kinshasa, qui emploie essentiellement du personnel masculin, le taux de contamination était plus élevé chez les cadres que chez les contremaîtres, et plus élevé chez les contremaîtres que chez les ouvriers. [...]

Le décès d'un adulte peut faire basculer un ménage vulnérable dans la pauvreté. Une étude de la Banque Mondiale a montré que, même en Tanzanie où l'Etat prend en charge une bonne partie des frais médicaux, les ménages ruraux touchés par l'épidémie ont en moyenne dépensé, en 1991, 60 dollars en frais médicaux et frais d'enterrement, soit à peu près l'équivalent du revenu annuel par habitant. Cette étude a aussi montré que le décès d'un adulte a des répercussions sur la génération suivante, car les enfants doivent souvent abandonner leurs études pour aider aux travaux domestiques. Chez les jeunes de 15 à 20 ans, issus de ménages où une femme adulte est morte du SIDA, on constate, pour l'année qui suit le décès, une baisse du taux de fréquentation scolaire de 50 %.

(Source : Rapport sur le développement dans le monde,
Banque Mondiale, 1993)

grandes épidémies. La Chine s'en inquiète et a demandé l'aide d'organisations non gouvernementales pour mettre en place des actions d'information et de prévention. L'impact du SIDA risque d'être très lourd économiquement pour ces pays.

Une conclusion semble pourtant s'imposer : pour améliorer de façon significative l'état sanitaire dans ces pays, ce sont surtout des actions dans les domaines de l'alimentation, de l'hygiène, de l'information et de l'instruction qui seraient utiles. C'est ainsi que le recul de la mortalité infantile est plus marqué dans des pays comme le Costa Rica qui ont fait un gros effort d'éducation, en particulier en direction des femmes.

En matière d'éducation, des inégalités importantes subsistent entre pays du Tiers Monde. Un quart de l'humanité est aujourd'hui analphabète contre la moitié dans les années cinquante, mais en valeur absolue, le nombre d'analphabètes est stable. Le programme des Nations unies en prévoit 935 millions en l'an 2000, contre 948 en 1990. Le pourcentage d'analphabètes varie de 3,5 % dans les pays développés à 60 % pour les PMA. En 1990, dix pays (l'Inde, la Chine, le Pakistan, le Bangladesh, le Nigeria, l'Indonésie, le Brésil, l'Egypte, l'Iran et le Soudan) regroupent les trois-quarts des adultes analphabètes. Mais, comme ce sont des pays très peuplés, cela n'implique pas qu'ils aient les taux d'alphabétisation les plus faibles. Dans les années cinquante et soixante, les grandes conférences internationales se donnaient comme objectif de scolariser 80 % des enfants de plus de sept ans. L'objectif n'est toujours pas atteint en Afrique. Six pays (la Guinée, le Burkina Faso, le Mali, le Niger, la Somalie et l'Ethiopie) en scolarisent encore moins de 30 %. L'Amérique latine s'en sort mieux que l'Afrique, à l'exception d'Haïti et de la Bolivie. En Asie, il y a un contraste entre les « quatre petits dragons » où le niveau de scolarisation est comparable à celui des pays occidentaux, un groupe qui vient un peu derrière avec l'Indonésie, la Malaisie, la Thaïlande, les Philippines et le Sri-Lanka, et un groupe qui stagne, le Bangladesh, le Pakistan, le Népal, la Birmanie, le Laos et le Viêt-Nam.

La scolarisation est en général mieux assurée pour les garçons que pour les filles, et les taux d'alphabétisation des plus jeunes sont très supérieurs à ceux des plus âgés. Au Burkina Faso, par exemple, le taux d'alphabétisation des adultes, en 1990, n'est que de 18 %, avec un taux de 28 % pour les hommes et de 9 % pour les femmes.

Les pays où des progrès ont été réalisés sont en général ceux qui ont franchi un seuil de développement. Mais il y a quelques exceptions, comme Cuba ou le Sri-Lanka, où les progrès de l'instruction sont plus rapides que les progrès économiques. En Afrique, le manque de moyens et la pression démographique conduisent à des résultats très médiocres. Les classes de soixante à cent élèves ne sont pas rares et il y a même des doubles vacations pour utiliser deux fois les mêmes locaux.

Mais l'éducation rencontre encore d'autres difficultés dans ces pays. Tout d'abord, si les valeurs véhiculées par l'école entrent en conflit avec les valeurs sociales traditionnelles, l'école risque d'apparaître comme un corps étranger. Or, il y a souvent un conflit entre la pensée scientifique enseignée à l'école et la pensée magique ou religieuse traditionnelle. Cela réduit l'efficacité du système éducatif. Ensuite, les familles attendent de l'école des possibilités de promotion sociale pour leurs enfants. Or, ce n'est pas toujours le cas. Pour que cette promotion existe, il faut d'abord que les connaissances aient été acquises, ce qui dépend de la qualité de l'école, de la durée de l'enseignement et de son adaptation aux réalités vécues. Or, dans les pays du Tiers Monde, ces conditions ne sont pas toujours remplies, avec des enseignants confrontés à des classes surchargées, dépourvues de livres, de cahiers, de stylos, et des enfants dont le suivi scolaire est loin d'être assuré et qui, faute d'entretenir leurs connaissances, la lecture par exemple, les oublient. Il faut aussi que la société ait des besoins à satisfaire et crée les emplois qui s'offriront aux diplômés. En fait, dans bon nombre de pays, d'Afrique en particulier, les emplois qualifiés n'augmentent pas au rythme des diplômés, et la désillusion de ceux qui n'accèdent pas au statut dont ils rêvaient grâce à leurs études, est porteuse de menaces pour l'avenir. On le voit bien en Algérie où le FIS a recruté largement dans ces couches de la population.

Toutefois, c'est surtout le maintien ou l'augmentation des fortes inégalités de revenus et de fortunes qui, dans les pays du Tiers Monde, risque d'être un ferment d'agitation sociale.

3. Inégalités et risques
d'agitation sociale

Les 10 % de la population les plus riches accaparent 50 % du revenu national au Brésil, 40 % au Mexique, 43 % au Pérou, 46 % au Kenya et au Zimbabwe, contre 23 % aux Etats-Unis. Au Brésil, à l'inverse, les 10 % de la population les plus pauvres ne disposent que de 0,8 % du revenu national. Les plus fortes concentrations d'argent dans ces pays se trouvent parmi les *fazendeiros* qui exploitent des propriétés pouvant atteindre le million d'hectares. En Inde aussi, on rencontre des fortunes colossales, comme celle de Pranlal Bhogilal, dont la propriété à Bombay abrite 200 voitures de collection, dont 36 Rolls Royce et Bentley. Il y vit avec sa famille, entouré de ses 60 domestiques, 20 chauffeurs, 5 000 tableaux, 2 000 bronzes et des bijoux qui font pâlir de jalousie toute la haute bourgeoisie de Bombay. Pour nombre d'autres pays du Tiers Monde, on ne dispose même pas de statistiques. En Bolivie, la répartition est un sujet tabou et la loi interdit d'enquêter sur l'origine du patrimoine. Pourtant, pour la commission économique pour l'Amérique latine de l'ONU (la CEPAL), 5 % de la population monopolise 40 % du revenu et 3 % des propriétaires terriens occupent 90 % des surfaces cultivées. De toutes façons, les revenus sont mal connus dans ces pays, tant en raison des carences de l'appareil statistique que de l'importance des activités informelles et de la sous-déclaration des hauts revenus. Partout, une partie de la richesse reste aux mains des grands propriétaires fonciers, mais, de plus en plus, c'est dans le monde de la finance que se recrutent les magnats d'aujourd'hui, ainsi que dans celui des trafics divers, de la drogue en particulier[4].

---

4. Lire dans la collection Le Monde Poche, J.-C. GRIMAL, *L'économie mondiale de la drogue*, Le Monde Editions-Marabout, 1993.

Quelques pays connaissent des inégalités plus réduites. A Taïwan, par exemple, les 10 % les plus riches se contentent de 20 % du revenu national. Ce constat semblerait confirmer la thèse de S. Kuznets. Il établit que les inégalités s'accroissent dans la première phase du développement pour se réduire ensuite. Selon lui, la situation assez égalitaire de départ tient à la dominante rurale de ces pays où il n'y a pas de grandes inégalités de revenus. Puis, dans les premières étapes du développement, les catégories aisées, qui ont réussi à accumuler un capital économique (entrepreneurs, cadres, professions libérales), augmentent rapidement leur patrimoine et donc le revenu qu'elles en tirent. L'éventail des activités qui s'offrent en milieu urbain permet aux mieux formés d'augmenter aussi leurs revenus par rapport aux autres. Les inégalités augmentent donc. Mais ce processus, dit Kuznets, se renverse, quand la majorité de la population, étant devenue urbaine, les groupes moins riches acquièrent un pouvoir de négociation supérieur grâce au développement des syndicats et à la démocratisation de la vie politique. Kuznets a raisonné à partir de l'exemple des pays aujourd'hui développés et aboutit donc à la conclusion que les inégalités constatées dans le Tiers Monde ne sont que transitoires.

Des études menées depuis contestent ces conclusions et mettent en avant le caractère auto-entretenu des inégalités. En effet, les catégories favorisées vont tenter de transmettre à leurs héritiers leurs privilèges. On aboutit alors à la création d'une caste fermée qui cherche à se créer une rente de situation par le clientélisme et en utilisant ses revenus non pas pour des investissements productifs, mais en spéculant en vue de son enrichissement. De plus, la demande des plus riches mobilise l'essentiel des ressources, de l'épargne vers les industries de luxe dont les produits sont souvent importés ou réalisés avec des équipements importés, et vers le secteur tertiaire moderne. Ces secteurs concentrent la main-d'œuvre la plus qualifiée et la plus productive dont les revenus augmentent, tandis que dans le secteur des biens nécessaires, l'emploi se dégrade et les salaires stagnent. Les inégalités sont ainsi auto-entretenues.

Il semble aussi que la crise actuelle se soit traduite par une augmentation des inégalités et de la pauvreté, à la suite de la crise de la dette qui a obligé les pays débiteurs à accepter les programmes d'ajustement structurel proposés par le FMI. C'est particulièrement net en Amérique latine[5]. Certes, on y trouvait depuis longtemps la répartition des revenus la plus inégalitaire du monde. Mais la Banque Mondiale note que « la crise de la dette a rendu les choses pires ». Les Etats ont dû réduire leurs dépenses sociales. Celles qui étaient consacrées à l'éducation et à la santé ont en moyenne diminué d'un quart entre 1980 et 1985. La priorité accordée aux exportations a entraîné une course effrénée à l'augmentation de la compétitivité qui s'est traduite par une baisse des salaires réels et des licenciements. Les écarts de revenu se sont accrus, tant dans des pays jadis relativement riches, où les inégalités n'étaient pas très importantes, comme l'Argentine ou le Venezuela, que dans des pays déjà très inégalitaires comme le Brésil, où les 10 % les plus riches possèdent 72 fois la part de revenu détenue par les 10 % les plus pauvres, ou le Guatemala, où le rapport est de 77 à 1. D'ailleurs, entre 1980 et 1989, le pourcentage d'individus vivant en dessous du seuil de pauvreté (fixé à 340 francs par mois) a fortement augmenté dans cette partie du monde (voir p. 176).

Périodiquement, ces inégalités débouchent sur des émeutes ou des révoltes, au Brésil par exemple (voir chapitre IV). Au Mexique, le 1er janvier 1994, au moins un millier de

---

5. « *Poverty and income distribution in Latin America, the story of the 1980's* » et « *Latin America and the Caribbean, a decade after the debt crisis* », The World Bank, 1993.

L'inégalité des revenus

	Année	Quintile* le plus pauvre	Deuxième quintile	Troisième quintile	Quatrième quintile riche	Quintile le plus riche	Décile** le plus riche
				Pourcentage du revenu détenu par le			
Economies à faible revenu :							
Inde	1989-1990	8,8	12,5	16,2	21,3	41,3	27,1
Kenya	1981-1983	2,7	6,4	11,1	18,9	60,9	45,4
Economie à revenu intermédiaire :							
Guatemala	1989	2,1	5,8	10,5	18,6	63	46,6
Thaïlande	1988	6,1	9,4	13,5	20,3	50,7	35,3
Brésil	1989	2,1	4,9	8,9	16,8	67,5	51,3
Economie à revenu élevé :							
Hong Kong	1980	5,4	10,8	15,2	21,6	47	31,3
Singapour	1982-1983	5,1	9,9	14,6	21,4	48,9	33,5

* Pour étudier la répartition des revenus, on répartit la population en cinq tranches ou quintiles. Cette colonne représente donc la part du revenu national perçue par les 20 % les plus pauvres.

** Part du revenu national perçue par les 10 % les plus riches.

(Source : Rapport sur le développement dans le monde, Banque Mondiale, 1993)

La réforme agraire
reste incomplète
au Mexique

Déclaration d'un dirigeant de la révolte zapatiste du 1er janvier 1994 :

« Nous voulons la démocratie, des élections sans fraude, des terres pour les paysans, une maison digne, des soins médicaux, des écoles. Nous voulons être traités comme des êtres humains, manger de la viande comme les autres. C'est aussi simple que ça. La guerre risque de durer longtemps, car nous ne lâcherons pas les armes tant que nous n'aurons pas obtenu satisfaction sur tous les points. Nous préférons mourir au combat, avec dignité, que mourir du choléra ou de la rougeole et subir les mauvais traitements des grands propriétaires terriens. »

Le *mayor* Mario et ses hommes sont déterminés, tout comme l'était leur héros, Emiliano Zapata, qui fut assassiné, après la révolution de 1910, pour avoir voulu mener à bien une véritable réforme agraire. « Zapata voulait donner la terre à tous les paysans, mais la bourgeoisie l'a éliminé », s'indigne le chef rebelle.

Quatre-vingts ans plus tard, les zapatistes veulent reprendre le flambeau de la révolution inachevée, au moment où le Mexique s'associe aux Etats-Unis et au Canada, dans le cadre d'un marché commun qui pourrait marginaliser encore davantage des millions de Mexicains, victimes de la modernisation économique.

Bertrand de la GRANGE, *Le Monde*, 18 janvier 1994

rebelles, se réclamant de l'armée zapatiste de libération nationale, se sont emparés de la ville de San Cristobal de las Casas
(80 000 habitants), dans l'Etat de Chiapas, et de cinq bourga-
des environnantes. Les raisons de cette révolte sont bien
connues : misère des sans terres, des laissés pour compte de la
croissance, répression des mécontents spoliés par une oligar-
chie toute puissante (voir p. 177). La répression de l'armée a
été sévère, accompagnée de bombardements qui ont semé la
terreur dans les villages où étaient censés se cacher les insur-
gés. Une guerilla semble bel et bien s'être installée sur la
frontière gualtémaltèque, entachant l'image de pays démocratique en plein développement que cherchait à se donner le
Mexique. Cette situation a contribué à la méfiance des marchés financiers à l'égard du Mexique qui a conduit à un reflux
des capitaux, provoquant une très forte dévaluation du peso
en 1995.

4. Une situation politique instable
qui renforce la crise sociale

La plupart des pays du Tiers Monde ont ce que certains ont
appelé des « Etats mous », ce qui n'exclut pas qu'il s'agisse
de régimes autoritaires. L'Etat y est à la fois omniprésent et
impuissant. Omniprésent, il l'est par la multiplication de
réglementations tatillonnes, des impôts qui pénalisent les
paysans, les décisions d'investissement peu rationnelles
(« éléphants blancs »), et le dirigisme qui paralyse souvent les
entreprises publiques. Impuissant, il l'est face à la lourdeur
des tâches à accomplir pour réaliser les infrastructures nécessaires au développement, favoriser les créations d'emplois
qu'exige la croissance de la population, et assurer les dépenses de santé et d'éducation nécessaires.

De plus, les élites politiques sont souvent accrochées au

pouvoir comme moyen de se maintenir au sommet de la hiérarchie sociale. Ceci est vrai en Asie ou en Amérique latine, où les grands propriétaires fonciers et la bourgeoisie capitalistes ont accaparé le pouvoir. Le président du Brésil, F. Collor, qui avait été élu pour lutter contre la corruption, a été destitué, en 1992, après avoir été accusé d'avoir perçu, par l'intermédiaire d'un réseau de comptes-écrans, environ 6,5 millions de dollars de l'ancien trésorier de sa campagne. Ce dernier est inculpé pour trafic d'influence, extorsion de fonds, infraction à la réglementation sur les appels d'offre de l'Etat, surévaluation des achats pour le compte du gouvernement et enfin, corruption. Le président est accusé d'avoir utilisé ces fonds pour son bénéfice personnel : achat de terrains, voiture, travaux dans son appartement et nombreux voyages avec sa jeune épouse.

C'est encore plus vrai en Afrique où, en l'absence de classe significative de propriétaires fonciers et de capitalistes, on a vu émerger lors de l'indépendance, des couches sociales pour qui l'Etat est devenu un moyen de s'approprier les richesses par de lourds impôts prélevés sur les paysans, le vol pur et simple, les détournements et la corruption. Les fortunes accumulées par J. Bedel Bokassa en Centrafrique, Sekou Touré en Guinée, Moussa Traoré au Mali ou Houphouët Boigny en Côte d'Ivoire sont colossales. Le président Mobutu du Zaïre contrôlerait 17 à 22 % du budget de son pays pour son usage personnel. Il a rassemblé l'essentiel de sa fortune en exportant à titre personnel du cuivre, de l'ivoire, des diamants, les richesses de son pays. En 1982, on estimait déjà le montant de ses capitaux placés à l'étranger à quatre milliards de dollars et depuis, l'accumulation a continué. Il se maintient au pouvoir dans une économie dévastée. Les fonctionnaires ne sont plus payés depuis longtemps. Les malades doivent apporter à l'hôpital médicaments et draps, les parents doivent payer les enseignants qui ont le ventre aussi creux que leurs élèves. Les militaires, gendarmes et policiers qui disposent d'une arme ont fini par mettre la capitale en coupe réglée. Ils pillent les maisons et dépouillent les passants. Douaniers, policiers et employés des administrations exigent leur dîme pour la moindre formalité.

La corruption des élites contribue à la perpétuation du pouvoir central qui les enrichit et, en même temps, entraîne une généralisation de la corruption à une grande partie de l'administration. C'est ainsi qu'au Mexique, des membres de la police judiciaire au plus haut niveau, protégeaient l'un des barons de la drogue et organisaient le transport de la cocaïne et de la marijuana vers les Etats-Unis. Le service antidrogue américain, la DEA, porte des accusations contre des dirigeants politiques de premier plan, comme l'ancien ministre de l'Intérieur et l'ex-ministre de la Défense.

Les pays à socialisme d'Etat n'échappent pas au fléau. En Chine, la course frénétique à l'enrichissement a gagné l'administration, particulièrement la police et l'armée. Hong Kong a réussi à rassembler un dossier de photos et témoignages qui prouvent que les auteurs de certaines attaques contre des cargos au large des côtes chinoises, ou l'arrêt de navires marchands en vue d'une « négociation » sur la cargaison, ainsi que le transport à bord de bateaux ultra-rapides de voitures volées dans la colonie britannique, étaient le fait de membres de l'armée et de la police chinoise, affectés à la lutte contre la contrebande, mais travaillant pour leur compte !

Cette absence d'état de droit dans de nombreux pays du Tiers Monde freine le développement. Elle décourage les investissements étrangers, en raison du climat d'insécurité, et les investisseurs nationaux qui craignent d'être victimes de racket et pour qui la spéculation apparaît plus sûre et plus rentable. Il est en outre inutile d'attendre de la bourgeoisie, qui s'est emparée de l'Etat pour consolider son pouvoir en détournant les ressources nationales, qu'elle devienne une bourgeoisie industrielle, comme ce fut le cas au Japon au XIXe siècle.

Pour assurer sa domination dans de telles conditions, l'Etat, dans ces pays, prend souvent une forme dictatoriale. Le « Rapport sur le développement humain » du PNUD présentait, en 1991, un classement des pays selon le nombre de libertés publiques qui y sont assurées. Il en retenait quarante qui allaient de la liberté de circulation à celle de la presse et à l'égalité hommes-femmes. Parmi les pays du Tiers Monde, ce ne sont pas toujours les plus riches qui assurent le plus de libertés à leurs citoyens. Certes, Hong Kong en assure 26 sur 40, mais la Corée du Sud seulement 14 et Singapour 11, tandis que le Sénégal en assure 23 et la Thaïlande 14. Certains régimes autoritaires comme la Corée du Sud, l'Indonésie, Taïwan ont réussi une croissance qui a profité à une fraction significative de la population. D'autres Etats, plus démocratiques, comme le Mali ou le Mozambique, connaissent à l'inverse de grandes difficultés pour maintenir leur légitimité dans un cadre de récession accrue.

Le débat sur le rapport entre développement et démocratie est très vif dans cet îlot de croissance qu'est l'Asie du Sud-Est. Lee Kuan Yew, l'omniprésent ex-Premier ministre de Singapour, déclare en 1993 : « Contrairement à certains commentateurs américains, je ne crois pas que la démocratie conduise au développement. Je pense qu'un pays a davantage besoin de discipline que de démocratie », et le professeur J. Wong de l'Institut d'études politiques d'Asie orientale poursuit : « Les conditions indispensables au développement sont l'éducation, le capital humain, la taille, et avant tout la stabilité politique et sociale, car il est impossible de se développer dans un climat de désordre. » Singapour s'est pourtant libéralisée, même si son régime reste autoritaire. Taïwan est sortie de la dictature et le ministre du Plan vient de déclarer : « A long terme, la démocratie est bonne pour notre économie.

Sans gouvernement démocratique, les gens ne se sentiraient pas assez en confiance pour dépenser ou investir. Mais une telle démocratie serait impensable si notre économie était arriérée. » En 1992, les élections sud-coréennes se sont déroulées de façon libre et démocratique, et elles ont conforté le pouvoir en place. Démocratisation n'est donc pas synonyme de désordre en Asie. Mais elle ne l'est pas non plus de croissance. La Chine connaît actuellement une croissance très rapide avec un régime qui reste autoritaire, même si l'Etat communiste se délite. A l'inverse, la dictature de l'armée en Birmanie bloque la croissance et ce pays prend un retard énorme sur son voisin thaïlandais. Enfin, on ne constate pas de différence dans les résultats obtenus à la suite des programmes d'ajustement structurel du FMI selon qu'il s'agit de pays démocratiques ou non.

Les pays du Tiers Monde sont en outre confrontés à une autre difficulté : ils sont la proie de fréquents conflits, avec leurs voisins ou interethniques. La situation de l'Afrique en est un exemple. Les frontières y sont purement artificielles. Les colonisateurs les ont tracées au gré de l'avancée des explorateurs, des expéditions militaires et des intérêts commerciaux, sans tenir compte des populations concernées. Des ethnies traditionnellement rivales se retrouvent dans le même Etat, une ethnie se trouve coupée en deux par une frontière… Le conflit récurrent entre les Hutus et les Tutsis, au Burundi, et au Rwanda depuis 1993, qui se traduit par des successions de massacres et la multiplication des réfugiés en est un exemple. On peut cependant se demander si les nombreux conflits qui agitent l'Afrique, en Ethiopie, en Somalie ou au Liberia par exemple, sont liés à ces découpages arbitraires ou s'ils ne sont pas plutôt la conséquence d'autres facteurs : la dégradation économique liée à l'absence de développement, aux sécheresses récurrentes et à la croissance trop rapide de la population, mais aussi la stratégie des grandes puissances qui s'efforcent d'assurer leur domination, et enfin l'opposition de clans qui se livrent une lutte sans merci pour le contrôle de l'appareil d'Etat et des richesses qu'on peut en tirer.

Quoiqu'il en soit, le résultat de la multiplication de ces conflits est toujours désastreux pour les populations civiles martyrisées et pour le développement. Pour plus de vingt-cinq pays, surtout en Asie du Sud et en Afrique subsaharienne, le montant des dépenses militaires est plus élevé que celui des dépenses de santé et d'enseignement additionnées. D'après la Banque Mondiale, pour beaucoup de ces pays, la dette militaire représente plus d'un tiers de la dette extérieure totale, puisque la plupart des armements sont importés.

Sur la question de l'Etat, l'Asie apparaît une fois de plus avantagée par rapport à l'Afrique. L'Etat y a des racines très anciennes. L'économie y avait atteint un stade relativement avancé avant la colonisation. Les élites modernes, fonctionnaires, enseignants, ingénieurs, hommes d'affaires représentaient, dès avant l'indépendance, des noyaux importants dans des pays comme l'Inde, la Malaisie ou la Chine. Le démarrage des nouveaux Etats y a donc été moins difficile qu'en Afrique. De plus, on y trouve le minimum de consensus social indispensable à la croissance. L'Asie souffre donc moins de ces blocages internes du développement que sont un Etat parasitaire et une instabilité politique et sociale qui nuisent aux investissements, à l'industrialisation et au développement.

Entretien

Claire Brisset

Directrice de la Communication à l'UNICEF (Fonds des Nations unies pour l'enfance), Claire Brisset est aussi chargée d'enseignement à l'IEP de Paris.

———

– Quelle est la situation de l'enseignement dans les pays du Tiers Monde aujourd'hui ?

Bien que la population d'âge scolaire ait doublé entre 1960 et 1980, la proportion d'enfants inscrits à l'école primaire a fait un véritable bond en avant, passant de moins de la moitié à plus des trois quarts des enfants. Actuellement, plus de 90 % des enfants du monde en développement entrent à l'école primaire, mais en Amérique du Sud et en Asie du Sud, à peine la moitié y reste au-delà des quatre années qui sont estimées comme un minimum pour ne pas oublier les acquis. En Afrique, 71 % des enfants entrent à l'école primaire, mais 48 % seulement atteignent la cinquième année. Du fait de la qualité médiocre de l'éducation offerte, des possibilités d'emploi limitées et de la nécessité pour les enfants d'aider leurs parents aux champs et à la maison, bien des écoliers arrêtent avant même d'avoir terminé un ou deux ans de scolarité. La priorité principale de l'éducation dans les années 90 est donc de faire en sorte que les enfants restent à l'école assez longtemps pour apprendre à lire, à écrire et à compter et pour acquérir les attitudes et compétences fondamentales qui leur permettront d'améliorer leur situation et de s'adapter aux changements qui les attendent.

D'autre part, dans de nombreux pays en développement, à l'exception de l'Amérique latine et de l'Asie de l'Est et du Sud-Est, le taux de scolarisation des garçons est supérieur à celui des filles. Or, l'éducation des filles est un moyen essentiel pour faire baisser la mortalité infantile. Une femme qui a été quatre ans à l'école a deux fois moins de risques de voir ses enfants mourir avant l'âge de cinq ans. Elle est plus sensible à l'importance de la vaccination, comprend l'importance de l'hygiène et sait utiliser les services de santé. De plus, l'éducation des filles est un des principaux déterminants du déclin de la fécondité. Les femmes instruites connaissent la planification familiale, sont aptes à discuter avec leur partenaire du nombre d'enfants désirés. Leur mariage et leur première grossesse sont plus tardifs, l'espacement des naissances est plus grand et les naissances sont moins nombreuses. Le dernier rapport de l'UNICEF insiste sur le lien entre pauvreté, pression démographique et environnement. Pour sortir de cette spirale destructrice, l'éducation, particulièrement celle des filles, est un impératif. Or, la priorité donnée à l'éducation est encore trop faible. L'éducation primaire ne reçoit qu'un pourcentage réduit du budget dans les pays en développement qui préfèrent souvent accorder les crédits à l'enseignement supérieur plus prestigieux. Elle ne bénéficie que de 2 % du montant total de l'aide au développement. Pourtant, tant la Banque Mondiale que l'ONU reconnaissent cette priorité.

– La pauvreté s'étend aujourd'hui dans les pays développés, et certains affirment qu'il faut s'occuper de ces pauvres-là avant de penser au Tiers Monde. Y a-t-il une spécificité de la pauvreté dans les pays en développement ?

Dans le Nord, il y a un système de protection sociale qui devrait fonctionner. Ce qui est scandaleux dans les pays industrialisés, c'est que des personnes passent au travers de ce filet de la protection sociale. Dans le Sud, il n'y a pas de filet : ni assurance-chômage, ni assurance-santé, ni obligation scolaire. Dans nos pays, l'école accueille tous les enfants, l'hôpital public doit accueillir les pauvres ; la situation est donc très différente.

On a, en général, une vision très monétaire de la pauvreté. La Banque Mondiale dit qu'il y a un milliard de personnes qui vivent avec moins d'un dollar par jour dans le monde. Mais être pauvre dans le Tiers Monde ce n'est pas que cela, c'est aussi n'avoir ni hôpital ni école, n'avoir aucun système de protection devant les aléas de l'existence : catastrophe naturelle, guerre, maladie, vieillesse, chômage. Dans ces pays, à la pauvreté des individus, s'ajoute celle des Etats. Quand, dans un pays comme le Viêt-Nam ou l'Afghanistan, le revenu par habitant est de 200 $ par an, les gens sont d'une pauvreté extrême et les Etats le sont aussi. Ils n'ont pas les moyens de mettre en place un système de protection sociale. On ne peut assimiler la pauvreté du Nord et celle du Sud. Il suffit d'avoir été au Bangladesh ou à Addis-Abeba pour le comprendre. Dans le Nord, il s'agit de dysfonctionnements qui, certes, ne devraient pas exister, mais au Sud, les problèmes sont structurels. Dans le Sud, on assiste à une explosion de la pauvreté urbaine. Jusqu'à présent, la pauvreté était plus grande dans les campagnes et l'exode rural était une stratégie individuelle, relativement efficace de lutte contre la pauvreté. En Afrique, la population des villes augmente de 5 % par an contre 3 % pour l'ensemble de la population. Aujourd'hui, la population urbaine est de plus en plus pauvre et l'insécurité augmente dans les villes. La dette et les politiques d'ajustement structurel ont beaucoup détérioré les dépenses publiques d'éducation et de santé. De nombreuses organisations internationales, et particulièrement l'UNICEF, ont plaidé auprès de la Banque Mondiale et du FMI, l'inutilité du rééquilibrage des finances publiques si cela se traduit par une augmentation de la mortalité des enfants et si les enfants ne peuvent plus aller à l'école. La Banque Mondiale et le FMI ont d'ailleurs abordé un virage sur ce point et placent la lutte contre la pauvreté au centre de leur stratégie actuelle. Cette lutte implique une action sur les structures mêmes des sociétés les plus pauvres. Elle passe, selon l'UNICEF, par des mesures en faveur de l'éducation et de la santé.

CHAPITRE VI

Insertion dans l'économie mondiale et développement du Tiers Monde

■

Les pays du Tiers Monde occupent une place encore limitée dans les échanges internationaux. Pourtant, les exportations de produits manufacturés d'un certain nombre d'entre eux se sont accrues, et l'idée que leur insertion dans l'économie mondiale va favoriser le développement, après avoir été l'objet de nombreuses critiques dans les années soixante et soixante-dix, jouit aujourd'hui d'un consensus très large. Cette stratégie de développement tournée vers l'extérieur les a conduit parfois à s'endetter massivement. Certains ont eu, dans les années quatre-vingt, de grosses difficultés de paiement et la crise de la dette, même si elle est moins aiguë qu'alors, est loin d'être résolue.

L'aggravation de la récession dans laquelle est plongée l'économie mondiale, affecte gravement les pays les plus pauvres. La misère y grandit. L'aide internationale n'augmente pas en proportion des besoins. Les investissements étrangers se dirigent vers un nombre limité de

pays. Face à cette situation, des milliers d'hommes
tentent l'aventure d'un départ vers une vie qu'ils espè-
rent meilleure, dans la capitale de leur pays d'abord,
puis vers d'autres pays, souvent au Nord.

1. Une participation aux échanges
mondiaux très variable

Dans l'ensemble, contrairement à une idée reçue, le Tiers
Monde n'assure guère plus de 20 % du commerce mondial.
Cette part avait diminué dans les années soixante puis
réaugmenté dans les années 70, essentiellement en raison de
la hausse du prix du pétrole et des matières premières. Les
années 80 sont marquées par un nouveau recul du Tiers
Monde, particulièrement net pour l'Afrique subsaharienne et
l'Amérique latine.

Toutefois, la part des produits manufacturés dans les exportations du Tiers Monde augmente au rythme de 6,3 % par
an, contre 2,7 % pour les produits agricoles alors que les
exportations de produits miniers diminuent. Les produits
manufacturés représentent aujourd'hui environ la moitié des
exportations hors pétrole du Tiers Monde, avec cependant
d'importantes différences entre régions (voir pp. 194-195).

Il semble donc y avoir passage de l'ancienne division
internationale du travail (DIT), où les pays du Tiers Monde
étaient cantonnés dans la production de produits primaires
(agricoles et miniers) tandis que les pays développés se réser-
vaient les produits manufacturés, à une nouvelle division
internationale du travail où les pays du Tiers Monde produisent et exportent certains produits manufacturés pour lesquels
ils jouissent d'un avantage comparatif en matière de coût

Evolution de la part des pays en développement dans le PNB et le commerce mondial (en %)

	PNB		Commerce mondial	
	1960	1989	1970	1989
Afrique subsaharienne	1,9	1,2	3,8	1,0
Afrique du Sud	3,1	2,8	1,3	0,9
Asie de l'Est et du Sud-Est (hors Chine)	1,7	2,9	4,1	8,1
Chine	3,0	2,0	0,8	1,9
Etats arabes	0,5	2,5	3,3	4,1
Amérique latine et Caraïbes	4,7	4,4	5,6	3,3
Pays en développement	15,9	15,8	18,9	19,3
Pays les moins avancés	1,0	0,5	0,8	0,4
Pays industrialisés	84,1	84,2	81,1	80,7

(Source : Rapport mondial sur le développement humain, PNUD, 1992)

salarial. Plusieurs facteurs sont avancés. En matière agricole, les pays développés, souvent autosuffisants, se protègent et, par un jeu de subventions, ont conquis de nombreux marchés à l'exportation au détriment du Tiers Monde. En outre, la demande de produits agricoles augmente peu. Par ailleurs, la

Répartition par catégories de marchandises en 1980 et en 1990

	Afrique	
Produits alimentaires Boissons, tabac 1980 1990	9,9 12,3	
Matières premières 1980 1990	7,3 8,7	
Combustibles, minéraux et produits miniers 1980 1990	75,6 60,2	
Produits chimiques 1980 1990	0,8 3,7	
Machines et matériels de transport 1980 1990	0,4 1,6	
Articles manufacturés 1980 1990	5,2 12,7	

des exportations des pays en développement
(en % du total des exportations)

Amérique latine	Moyen Orient	Asie	Ensemble des pays en développement
26,8	1,3	12,0	10,6
24,2	4,3	7,5	10,5
10,6	0,7	13,1	7,3
11,8	2,1	5,4	6,5
42,4	94,6	20,5	59,7
26,5	73,3	8,2	24,6
2,6	0;7	2,7	1,8
5,0	3,4	4,4	4,4
4,8	0,8	12,9	5,2
10,7	2,9	28,6	19,6
11,6	1,8	37	14,5
21,0	13,5	44,7	33,5

(Source : *Annuaire statistique du commerce international*, ONU, 1992)

demande de combustibles s'est ralentie grâce aux économies d'énergie réalisées dans les pays développés depuis le premier choc pétrolier, mais aussi en raison de la récession qui les frappe. La faible croissance des exportations de produits primaires a ainsi permis une augmentation de la part des produits manufacturés dans les exportations du Tiers Monde. Pourtant, il ne faudrait pas imaginer que cette évolution soit générale. Les quatre cinquièmes des exportations de produits manufacturés du Tiers Monde sont le fait des NPI. En Corée du Sud, les exportations de produits manufacturés représentent 96 % des exportations et au Brésil, 73 %. A l'inverse, l'Afrique reste encore largement tributaire des produits primaires qui assurent 90 % de ses exportations. Seuls le Maroc, la Tunisie et l'Afrique du Sud ont développé les exportations de produits manufacturés.

Le maintien d'une partie du Tiers Monde dans l'ancienne DIT a des conséquences négatives pour son développement, en raison de la détérioration des termes de l'échange[1]. Les théoriciens de la dépendance, à la suite de R. Prebisch ont avancé, dans les années cinquante, la thèse selon laquelle le commerce entre pays industrialisés et Tiers Monde aboutit à la dégradation des termes de l'échange pour les pays en développement, car le prix des produits manufacturés exportés par les pays développés augmente plus vite que le prix des produits primaires exportés par les pays du Tiers Monde. Josué de Castro expliquait ainsi que les pays du Tiers Monde devaient exporter de plus en plus de café pour se procurer un tracteur.

Divers facteurs expliquent cette différence dans l'évolution des prix des produits primaires et des produits manufacturés. Le premier tient au fait que la demande de produits

---

1. Termes de l'échange : rapport du prix des exportations au prix des importations.

primaires augmente moins vite que la demande de produits manufacturés. En effet, quand le niveau de consommation augmente dans les pays riches, la part de la consommation de produits primaires dans le budget des ménages diminue car leurs besoins sont déjà en grande partie satisfaits (loi d'Engel). De plus, les pays développés ont réalisé des économies d'énergie et de matières premières dans leur processus productif, ils sont eux-mêmes des producteurs de matières premières et ils ont mis au point des produits de synthèse qui les remplacent. Enfin, les pays du Tiers Monde, pour essayer de maintenir leurs recettes d'exportation face à la baisse des prix des produits primaires, ont augmenté leur production accentuant ainsi une certaine surproduction, source de baisse des prix. Le second facteur d'explication de la détérioration des termes de l'échange tient à une utilisation différente des gains de productivité dans les pays développés et dans les pays en développement. Selon R. Prebisch, dans le Tiers Monde, les gains de productivité, conjugués à une demande qui augmente peu, se sont traduits par une baisse des prix, alors que dans les pays développés, la demande résiste mieux, ce qui freine la baisse des prix. A. Emmanuel ajoute qu'une organisation syndicale forte a permis, dans les pays développés, de distribuer une partie des gains de productivité sous forme de hausses de salaires, ce qui a freiné la baisse des prix, alors que dans le Tiers Monde la pression démographique a pesé sur les salaires et favorisé la baisse des prix. Il en conclut que l'échange entre pays impérialistes et pays dominés se traduit par un transfert de valeur des seconds vers les premiers, ce qui freine l'accumulation et le développement dans le Tiers Monde. Les théoriciens de la dépendance se sont appuyés sur ces analyses pour prôner un développement autocentré, en rupture avec les pays développés, seul moyen d'échapper au pillage que représente la division internationale du travail.

Cette thèse de la détérioration des termes de l'échange a été contestée. Divers auteurs[2] ont présenté des études statistiques l'infirmant. Ils font remarquer que le choix de l'année de base de l'étude n'est pas neutre. Si on veut prouver la détérioration, disent-ils, il suffit de choisir une année de sommets spéculatifs, comme 1951 ou 1980, et en choisissant une année de récession, 1937 ou 1965 par exemple, on démontre à l'inverse une amélioration des termes de l'échange. Sur le long terme, les études sont difficiles car les produits manufacturés ne sont pas homogènes et se perfectionnent grâce aux progrès techniques, ce qui peut justifier l'augmentation de leurs prix. Ils ajoutent que l'indice porte sur l'ensemble des matières premières. Or, aucun pays n'en propose une palette complète et les variations de cours, même si on excepte le pétrole sont importantes.

Pourtant, la Banque Mondiale, que l'on ne peut soupçonner d'être attentive aux sirènes tiers-mondistes, reconnaît une détérioration, particulièrement dans les années 80. L'indice des termes de l'échange est passé de 145 en 1948 à 80 en 1985, sur la base 100 en 1965, soit une baisse de 45 %. La Banque Mondiale a testé plusieurs années de base pour vérifier que la détérioration n'est pas seulement liée au choix de l'année de référence. On peut certes objecter que les pays du Tiers Monde ne sont pas seulement des exportateurs de produits primaires. Mais de nombreux pays sont concernés puisque, selon E. Fottorino, les deux tiers des pays pauvres sont tributaires de deux ou trois produits de base qui leur procurent les deux tiers de leurs recettes d'exportation. Ainsi, l'indice des termes de l'échange a baissé de 41 % entre 1968 et 1988 pour les pays africains dont l'essentiel des exportations est

---

2. P. Bairoch, *Diagnostic de l'évolution économique du Tiers Monde 1900-1968*, Gauthiers-Villars, 1970, et J. Marseille, « Tiers Monde, controverses et réalités », *in Economica*, sous la direction de S. Brunel, 1987.

constitué de produits traditionnels (cacao et café pour la Côte d'Ivoire, arachide pour le Sénégal, cuivre pour la Zambie). Il y a eu aussi une détérioration pour les produits manufacturés traditionnels, issus des industries de main-d'œuvre, mais elle n'atteint que 14 % entre 1968 et 1988 (voir pp. 200-201).

La nouvelle DIT n'est donc pas la panacée pour les pays en développement. On peut rappeler que le développement des exportations de produits manufacturés par ces pays suppose le développement de leur industrie. Celle-ci, comme nous l'avons vu, est largement tributaire des investissements directs des firmes multinationales, attirées par les faibles coûts salariaux. Mais, si le pays se développe, les coûts salariaux vont augmenter et les firmes se délocaliseront vers d'autres pays où la main-d'œuvre sera encore moins chère. Certains analystes font en outre observer que le coût de la main-d'œuvre n'est pas toujours un facteur décisif. Il faut corriger les écarts de coûts salariaux par les écarts de productivité et tenir compte du fait que la part des salaires dans le coût du produit se réduit en raison des progrès techniques et de l'automatisation.

Les nouveaux avantages dans la concurrence internationale tiendraient plutôt à la qualité des produits, à la capacité à innover, à s'adapter très rapidement aux variations de la demande. Or, ces avantages sont plus liés à la qualité de la main-d'œuvre qu'à son faible coût. Ils supposent en outre des transferts technologiques. On voit là l'avantage des « quatre dragons » sur les pays africains ou le Bangladesh.

En outre, tous les pays du Tiers Monde ne peuvent espérer fonder leur croissance sur un développement de leurs exportations. Qui va importer ? Les pays du Sud ? Cela supposerait une augmentation du pouvoir d'achat d'une large partie de la population. On en est loin et les échanges Sud-Sud de marchandises ne représentent qu'à peine plus du tiers de leurs exportations totales. Les pays développés ? La demande y

Indices des exportations en volume, des termes de

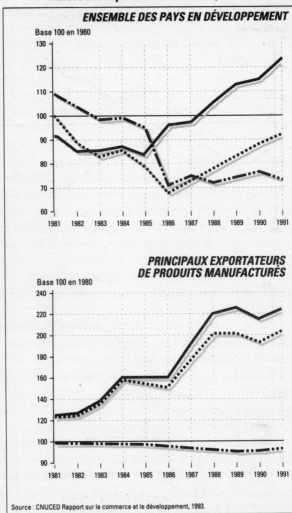

ENSEMBLE DES PAYS EN DÉVELOPPEMENT

Base 100 en 1980

PRINCIPAUX EXPORTATEURS DE PRODUITS MANUFACTURÉS

Base 100 en 1980

Source : CNUCED Rapport sur le commerce et le développement, 1993.

Lecture : Lorsqu'il subit une dégradation des termes de l'échange, un pays peut essayer de maintenir le pouvoir

l'échange et du pouvoir d'achat des exportations 1981-1991

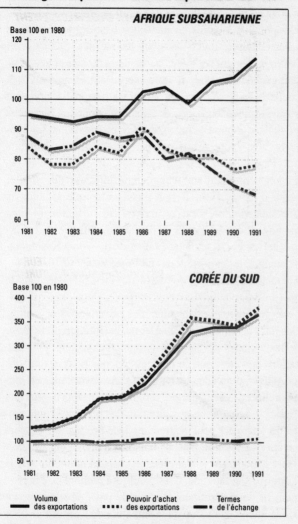

AFRIQUE SUBSAHARIENNE

Base 100 en 1980

CORÉE DU SUD

Base 100 en 1980

| Volume des exportations | Pouvoir d'achat des exportations | Termes de l'échange |

d'achat de ses exportations en augmentant le volume de ses exportations.

augmente à un rythme beaucoup plus lent que dans les années 50 et 60 et en raison de la crise, la tentation protectionniste s'y développe. Il y a certes eu une libéralisation des échanges mondiaux, dont le GATT s'attribue les mérites. Les mesures de contingentement ont été en partie démantelées et les droits de douane réduits. Mais il reste bien d'autres moyens tout aussi efficaces de se protéger. Parmi les plus utilisés on peut citer les normes techniques et sanitaires, dont les variations imprévisibles gênent les exportateurs étrangers, et les subventions aux exportations qui permettent aux agriculteurs européens ou américains par exemple, de concurrencer les nouveaux venus tant sur leur marché intérieur que sur les marchés d'exportation. Il faut aussi noter que le taux de change des monnaies est un moyen très efficace, et bien moins voyant que les droits de douane, de fausser la concurrence internationale. La sous-évaluation du won a ainsi largement favorisé les exportations sud-coréennes.

Au total, la situation des pays du Tiers Monde dans le commerce international est très variable. Pour ceux qui restent encore largement tributaires des exportations primaires, tels les pays d'Afrique subsaharienne, la situation est défavorable car les pays développés n'augmentent guère leurs importations tant en raison de la récession, que pour des raisons structurelles : nouvelles technologies plus économes en matières premières et en énergie, progrès importants de productivité dans l'agriculture, et saturation des besoins. Toute tentative de leur part pour augmenter leur production et leurs exportations se traduit par une baisse des prix. Pour les pays du Tiers Monde qui se sont insérés dans la nouvelle DIT, la concurrence s'avère rude. C'est pourquoi nombre de ces pays essaient de se mettre dans l'orbite de pays développés. Le Mexique attend beaucoup de la signature de l'accord de libre échange nord-américain (ALENA) en 1993. L'Asie se structure autour du Japon avec les « quatre dragons » en tête, suivis par les « nouveaux dragons », Malaisie, Thaïlande, Indonésie. L'Afrique attend beaucoup de l'Europe qui hésite car elle se tourne vers l'Est.

Si les exportations de marchandises restent encore largement majoritaires dans le commerce mondial, la part des services augmente rapidement (assurances, services financiers, tourisme, transports, communication, programmes audiovisuels, ingénierie, conception de logiciels...). Ce marché est largement dominé par les pays développés. Rares sont les pays du Tiers Monde qui ont réussi à se faire une petite place dans l'exportation de services : la Corée du Sud pour l'ingénierie, Hong Kong pour les services financiers. Même si un certain nombre de firmes occidentales ont délocalisé des services de saisie informatique vers des pays du Tiers Monde (Swiss Air, par exemple, a délocalisé ses services comptables et de réservation vers l'Inde), il n'y a là aucun transfert de technologie, la firme multinationale se contentant d'utiliser une main-d'œuvre qualifiée et meilleur marché.

2. La dette et l'aide

Les pays du Tiers Monde ne disposant pas de capitaux suffisants pour assurer les investissements nécessaires à leur développement, font appel à l'étranger. Ils accueillent ainsi des investissements directs[3] et des investissements de portefeuille[4]. Ils bénéficient aussi d'aides publiques au développement et de crédits publics. Cette aide est dite bilatérale quand elle est accordée par un Etat à un autre Etat, et multilatérale quand elle émane d'une organisation Internationale (ONU, FMI

---

3. Investissements étrangers directs : créations d'entreprises ou achats d'entreprises locales par des firmes multinationales.
4. Investissement de portefeuille : achat de valeurs mobilières (actions et obligations).

Indicateurs de la dette extérieure (1970-1989)

Groupe d'économies	Dette extérieure totale[1]			
	1970-75	1976-80	1983-89	
A faible revenu	10,2	14,8	28,5	
A faible revenu, non compris la Chine et l'Inde	20,5	28,5	60,7	
A revenu intermédiaire	18,6	34,6	54,9	
Argentine	20,1	46,1	80,3	
Brésil	16,3	28,2	42,0	
Maroc	18,6	55,1	109,5	
Philippines	20,7	45,8	79,2	

(Source : Données de la Banque mondiale)

ou Banque Mondiale). Ils obtiennent enfin des crédits privés : crédits à l'exportation et crédits bancaires. Tous ces apports de capitaux, en dehors des investissements directs de l'étranger, constituent dans les statistiques internationales « l'aide au développement ».

Dans les années 70, les crédits privés se sont développés d'une façon rapide, supplantant les crédits publics. Les pays en développement, profitant de hausse du prix des matières premières, avaient des grands projets de développement. Les banques détenaient d'importantes liquidités qu'elles cherchaient à valoriser. En effet, la hausse du prix du pétrole avait permis aux pays de l'OPEP de gonfler leurs avoirs dans les grandes banques américaines et européennes. Celles-ci cherchaient à « recycler ces pétrodollars ». Elles ont pensé trouver de bons clients dans les pays en développement. Les projets

(pourcentage moyen pour la période)

Paiements d'intérêts[2]			Transferts nets[1][3]		
1970-75	1976-82	1983-89	1970-75	1976-82	1983-89
2,9	4,3	9,8	1,1	1,2	0,7
2,9	5,3	11,8	2,7	2,4	1,0
5,1	11,0	15,4	1,9	1,9	- 2,7
14,1	17,9	41,6	- 0,3	2,7	- 5,4
12,1	28,5	30,3	3,3	0,8	- 2,5
2,8	13,0	17,1	1,8	6,8	- 1,7
4,2	14,1	20,5	1,2	1,8	- 3,4

1. En pourcentage du PNB.
2. En pourcentage des recettes d'exportation.
3. Transferts nets : montant des apports de capitaux (prêts, dons, investisse-ments directs ou par rachat de titres) dont on déduit les sorties de capitaux au titre de service de la dette (paiement des intérêts et remboursement du principal).

industriels des pays emprunteurs devaient leur permettre d'augmenter leurs exportations pour se procurer les devises nécessaires aux remboursements. Les prêts étant consentis à taux d'intérêt variable, les banques ne semblaient pas courir de grands risques. Au cours de la période, les crédits à l'ex-portation se sont aussi multipliés car les pays développés, victimes de la récession, étaient prêts à bien des concessions pour gagner les marchés des pays en développement qui semblaient pleins de promesses.

Au début des années 80, le surendettement du Tiers Monde éclate au grand jour avec l'annonce par le Mexique, en 1982, de son incapacité à faire face à ses engagements. D'autres pays le suivent.

Les raisons de la « crise de la dette » sont nombreuses. Elles tiennent au contexte international mais aussi aux choix de développement des pays concernés. Tout d'abord, le contexte international s'est dégradé. A la suite du second choc pétrolier, en 1979, les pays développés sont entrés en récession. En raison du ralentissement de la demande, le prix des matières premières suivi par celui du pétrole va entamer une descente rapide, et la croissance des exportations des pays en développement se ralentit. Les pays emprunteurs ne disposent donc pas des rentrées de devises nécessaires pour faire face à leurs échéances. De plus, les pays développés, pour lutter contre l'inflation, adoptent des politiques monétaristes. Les taux d'intérêt s'envolent, augmentant la charge de la dette[5]. Celle-ci est alourdie, en outre, par la montée du dollar entre 1980 et 1985, car la dette est généralement libellée en dollars[6].

La crise de la dette tient aussi aux échecs rencontrés par de nombreux pays dans leur développement, en raison d'erreurs nombreuses : projets surdimensionnés, importance excessive des dépenses de prestige ou spéculatives au détriment des investissements productifs. Les rentrées attendues des ventes à l'étranger ne se produisent pas et le pays se trouve dans l'impossibilité de rembourser. Au début des années 80, de nombreux pays du Tiers Monde, surtout en Amérique latine, se trouvent dans cette situation. Pour certains, le montant de la dette est supérieur à leur PNB (Bolivie, Côte d'Ivoire) et le

---

5. Charge de la dette : somme versée chaque année au titre du remboursement du capital emprunté et du paiement des intérêts. Le rapport du service de la dette en pourcentage des exportations est utilisé pour mesurer l'endettement d'un pays.

6. Lire l'ouvrage de A.-M. GRONIER, M. GIACOBBI, *Monnaie, Monnaies*, collection Le Monde Poche, Le Monde Editions- Marabout, 1994.

service de la dette représente près de la moitié de leurs exportations (Mexique ou Brésil).

Il s'avère donc nécessaire de renflouer ces pays de façon à éviter que ne se multiplient les défauts de paiement qui mettraient gravement en danger le système bancaire. Le FMI et la Banque Mondiale vont s'y employer. Tout d'abord, ils vont agir auprès des banques commerciales en les persuadant qu'elles doivent octroyer de nouveaux crédits et participer à des opérations de restructuration de la dette[7] pour éviter la rupture totale des remboursements. Ensuite, le FMI va proposer, aux pays débiteurs, des moyens de financement mais en les assortissant de programmes « d'ajustement structurel » (voir p. 208).

Au début des années 80, il s'agit pour le FMI de mettre en place des conditions qui permettent le remboursement intégral de la dette : rééchelonnement et moyens financiers nouveaux. Mais, loin d'éliminer les difficultés, ces mesures se traduisent par un gonflement de la dette qui atteint 1000 milliards de dollars en 1985. Les programmes d'ajustement se traduisent par un appauvris-sement de larges couches de la population et provoquent des tensions sociales dans plusieurs pays : Egypte, Tunisie. Comme les prêts du FMI et de la Banque Mondiale ne sont pas renégociables, les pays emprunteurs sont obligés d'assurer en priorité le service de la dette revenant à ces organisations pour bénéficier de fonds nouveaux. De ce fait, les transfert nets de capitaux deviennent favorables aux pays développés à partir de 1983. Entre 1983 et 1990, les flux nets de capitaux vers les pays riches représentent 150,5 milliards de dollars. C'est le Sud qui finance le Nord ! En 1985, au Pérou, le président Garcia dénonce le *diktat* du FMI et limite les remboursements à 10 % des recettes

---

7. Allongement des délais de remboursement et renégociation des taux d'intérêt.

Les effets attendus des politiques d'ajustement structurel du FMI

Mesures	Effets à court terme	Effets à moyen terme	Effet à long terme
• Réduction des dépenses gouvernementales • Suppression des subventions et arrêt du contrôle des prix • Contrôle des salaires • Contrôle de la masse monétaire	Réduit l'inflation	Effet positif sur la balance commerciale Réallocation des facteurs et amélioration de la combinaison productive	Augmentation de l'efficacité économique
• Libéralisation du secteur bancaire et ouverture du marché financier aux capitaux étrangers • Hausse des taux d'intérêt • Dévaluation	Stoppe la fuite des capitaux	Effet positif sur la balance des paiements	
• Ouverture des frontières	Favorise les exportations et freine les importations Augmente la concurrence	Réallocation des facteurs et amélioration de la combinaison productive	

Dette et service de la dette des PVD, 1982-1992
(milliards de dollars)

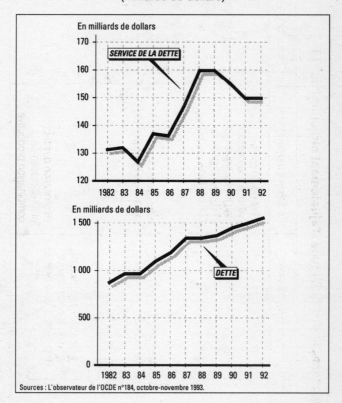

Sources : L'observateur de l'OCDE n°184, octobre-novembre 1993.

d'exportation. Le Nigeria l'imite et restreint ses remboursements à 30 % des recettes d'exportation. Quant aux banques
commerciales, elles avaient déjà commencé à se débarrasser
de leurs créances douteuses en les vendant avec une décote
(90 % pour la créance de l'Argentine en 1989) et à constituer
de larges provisions pour pertes. Elles se montrent donc de
plus en plus réticentes pour accorder de nouveaux prêts.

Les apports nets de fonds publics et privés 1982-1992

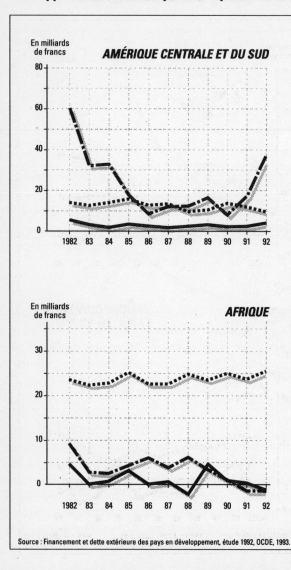

En milliards de francs

AMÉRIQUE CENTRALE ET DU SUD

En milliards de francs

AFRIQUE

Source : Financement et dette extérieure des pays en développement, étude 1992, OCDE, 1993.

(milliards de dollars, aux prix et taux de change 1991)

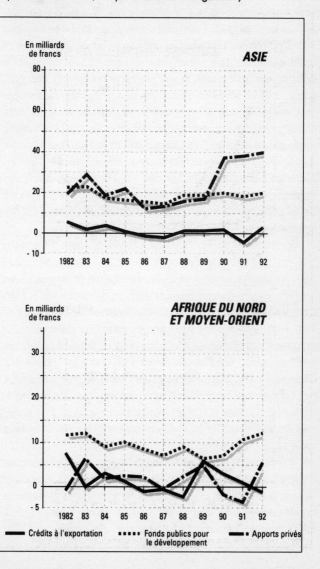

En milliards
de francs

ASIE

En milliards
de francs

**AFRIQUE DU NORD
ET MOYEN-ORIENT**

— Crédits à l'exportation   ■■■■ Fonds publics pour
le développement   ■–■ Apports privés

En 1989, sous l'égide du FMI, de la Banque Mondiale et du Trésor américain est mis en place le plan Brady. Il reconnaît que certains pays du Tiers Monde étant insolvables, il ne sert à rien de toujours reculer les échéances, et qu'une dette externe excessive fait peser une menace permanente sur la balance des paiements et les finances publiques, décourageant ainsi les investissements étrangers. Les banques acceptent une réduction du montant et parfois du taux de leurs créances en les échangeant contre des titres à plus longue durée garantis par le Trésor américain ou le FMI. Pour les pays à bas revenus et les plus lourdement endettés, le FMI a mis en place les « conditions de Toronto » qui permettent d'annuler entre le tiers et la moitié des paiements dus au titre du service de la dette, de réduire les taux d'intérêt et de retarder les échéances.

Toutes ces mesures, ainsi que la baisse des taux d'intérêt et une certaine réussite des politiques d'ajustement structurel dans quelques pays (Mexique, Indonésie et Maroc), ont amené un recul du service de la dette au début des années 90. La confiance restaurée a permis une arrivée de capitaux privés, sous forme d'investissements étrangers directs ou en réponse à des émissions d'actions ou d'obligations. Ainsi, en 1991 et 1992, les flux de ressources d'origine privée ont dépassé les flux d'origine publique. Mais ce sont surtout les pays d'Asie qui en profitent, non seulement les « quatre dragons », mais aussi la Chine, l'Inde, l'Indonésie. Il faut toutefois remarquer qu'il n'y a pas eu vraiment de crise de la dette en Asie, si l'on excepte les Philippines. Ces pays ont toujours été considérés comme des clients sérieux par les banques commerciales internationales. En ce qui concerne l'Amérique latine, le Mexique et le Chili sont à nouveau considérés comme solvables et attirent les capitaux privés. Pour le Brésil, l'Uruguay, le Venezuela et l'Argentine, la situation est plus incertaine. Par contre, le surendettement et la dépendance vis-

Ajustement dans les pays à faible revenu

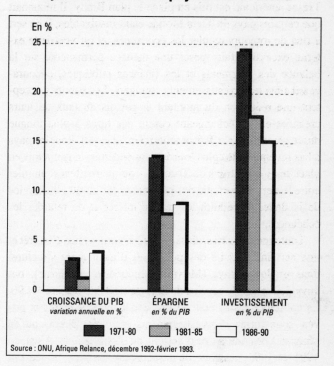

Source : ONU, Afrique Relance, décembre 1992-février 1993.

à-vis de l'aide publique demeurent le lot de l'Afrique subsaharienne où les politiques d'ajustement structurel ont échoué.

Le service de la dette y représente encore en moyenne 32 % des exportations en 1992 et son poids est tout à fait insupportable pour des pays comme la Guinée-Bissau, le Zaïre, la Zambie ou le Soudan. En ce qui concerne l'Afrique francophone, c'est la CEE et la France qui règlent ses dettes pour éviter que l'arrêt des paiements au FMI et à la Banque Mondiale n'entraîne une suspension des apports de fonds nouveaux. Cette situation s'est avérée de plus en plus intenable. En effet, les quatorze pays africains de la zone franc ont une monnaie, le franc CFA, librement convertible, ce qui favorise la fuite des capitaux. Des Africains transféraient vers Londres, Genève ou Monaco par valises entières, des francs CFA qu'ils échangeaient contre des dollars, des livres sterling ou des marks. La France était ensuite contrainte de racheter ces francs CFA surévalués. En outre, elle s'était engagée à couvrir les déficits de la balance des paiements des pays membres. Devant l'ampleur de la dette de ces pays, la France a décidé, en 1994, de cesser de payer et de les renvoyer vers le FMI et la Banque Mondiale. En janvier 1994, les quatorze Etats africains de la zone franc ont dû se résoudre à une dévaluation de 50 % du franc CFA.

Quoiqu'il en soit, la dette du Tiers Monde continue de grossir. En 1992, elle s'élève à 1662 milliards de dollars, en augmentation de 3,5 % par rapport à 1991. Ce mouvement traduit un accroissement des apports nets de financement extérieur dans les pays en développement.

La politique du FMI et de la Banque Mondiale est très controversée. Les libéraux font remarquer qu'aucun pays ne peut vivre durablement au-dessus de ses moyens et que le FMI et la Banque Mondiale ont obligé ces pays à faire l'effort de rigueur, de remise en ordre des finances publiques, d'ouverture et de réallocation plus rationnelle des ressources indispensables au décollage. D'autres leur reprochent leur dogmatisme libéral qui a des conséquences économiques et sociales désastreuses. Les politiques de privatisation aboutissent à brader des entreprises nationales aux acheteurs étrangers. La libéralisation des marchés financiers encourage la fuite des capitaux et facilite le blanchiment de l'argent de la drogue. La politique de rigueur salariale se traduit par une baisse du pouvoir d'achat et une paupérisation accélérée. La réduction des dépenses publiques entraîne des coupes dans

La dévaluation du franc CFA

La bonne tenue du franc depuis 1987, face au mark, l'affaiblissement du dollar face aux autres monnaies, ces dernières années, ont aggravé les difficultés des pays de la zone. Rattachés à une monnaie flamboyante, ils ont vu s'éroder la compétitivité de leurs produits face à des voisins – en particulier le Nigeria, le mastodonte de l'Afrique – qui, n'appartenant pas à la zone, ont dévalué massivement leur monnaie, suivant en cela les recommandations du Fonds monétaire internation (FMI).

Pendant des années, l'aide de la France a permis de masquer cette monumentale faillite de la zone franc. Entre 1987 et 1993, Paris a multiplié par plus de quatre son « aide à l'ajustement » (4,2 milliards de francs en 1992) pour des « résultats peu concluants », de l'aveu de Serge Michailof, auteur d'un rapport roboratif sur la coopération française. « Leur fonction, écrit-il, a été plus souvent d'aider des régimes amis que de favoriser un ajustement réel. »

Les entreprises françaises présentes en Afrique francophone ne voulaient pas d'une dévaluation. Et pour cause : le CFA surévalué permettait de subventionner de façon indirecte les importations de marchandises françaises en même temps qu'il accroissait la valeur des actifs détenus dans la zone. Contre l'intérêt du « lobby africain », Matignon a finalement tranché. [...]

La France – l'ancienne puissance coloniale – ne voulait plus et ne pouvait plus assurer les fins de mois d'Etats incapables de payer leurs fonctionnaires et de rembourser leurs dettes auprès des organismes financiers internationaux.

Il est « absolument essentiel que d'autres sources de financement puissent [en dehors de la France] contribuer au soutien des efforts d'ajustement que vous entreprenez. [Cela] passe par des accords avec le Fonds monétaire international ». S'ils ne sont pas conclus, la France « ne pourra prolonger son aide à l'ajustement ». En quelques phrases, M. Alphandéry avait résumé devant ses pairs africains la nouvelle doctrine de Paris.

Reste le problème du bien-fondé d'une dévaluation et de ses effets. Si le FMI la recommande depuis des années, ce n'est pas sans une solide argumentation. Elle peut se résumer ainsi : une dévaluation permet de donner un sérieux coup de fouet à la croissance économique, en favorisant les exportations et la reconquête du marché intérieur (baisse de la fraude et de la contrebande) ; d'augmenter le revenu des ruraux – et, aux premiers rangs d'entre eux, des producteurs de matières premières exportées (cacaco, café ou coton), puisqu'ils obtiennent davantage en monnaie locale pour un prix en devises inchangé ; enfin, d'accroître les revenus de l'Etat, dans la mesure où ces derniers dépendent des échanges extérieurs.

Encore faut-il compter les inconvénients. Ils sont de taille. Une dévaluation, parce qu'elle renchérit les produits importés, provoque immanquablement l'inflation, appauvrit les populations urbaines, a un impact récessionniste certain. Et elle accroît le poids du service de la dette extérieure.

Jean-Pierre TUQUOI, *Le Monde*, 13 janvier 1994

les budgets de l'éducation et de la santé et une dégradation des infrastructures. La Banque Mondiale semble le reconnaître puisque son nouveau mot d'ordre au début des années 90 est la « réduction durable de la pauvreté ».

Il faut toutefois noter que 70 % de l'aide publique au développement est une aide bilatérale. Les plus gros donateurs sont les Etats-Unis, le Japon, la France et l'Allemagne qui, à eux seuls, en distribuent plus de la moitié. Mais cela ne signifie pas qu'ils sont les plus généreux. Seuls la Norvège, le Danemark, la Suède et les Pays Bas consacrent à l'aide publique au développement 0,7 % de leur PIB, seuil minimal proposé par l'ONU. La France en est très proche avec 0,63 %, mais on y inclut l'aide accordée aux Dom-Tom. L'aide des Etats-Unis, y compris les remises de dettes militaires, n'atteint que 0,20 % de leur PIB. L'aide bilatérale présente deux inconvénients. Le premier est qu'elle est utilisée par les donateurs comme un instrument de politique extérieure. L'aide française est réservée en priorité aux anciennes colonies d'Afrique Noire et au Maghreb. Les Etats-Unis ont, jusqu'à la chute du mur de Berlin, privilégié les pays où existait une menace d'avancée communiste (Corée du Sud, Taïwan, Philippines) ainsi que l'Egypte et Israël. Ils réservent aujourd'hui l'essentiel de leur aide à l'Amérique latine. Le Japon s'intéresse surtout à l'Asie du Sud-Est. Le second inconvénient de l'aide bilatérale est qu'il s'agit d'une aide en grande partie « liée », c'est-à-dire qu'obligation est faite aux bénéficiaires de l'utiliser en s'approvisionnant chez les donateurs. Il peut s'agir d'achats de biens d'équipement mais aussi d'assistance technique. Le financement de projets gigantesques (construction de barrages, de routes, d'usines) a constitué une bonne affaire pour les entreprises du pays donateur sans que la rentabilité économique de ces réalisations ait vraiment été pensée. Quant à l'aide alimentaire, moins de 10 % est consacré à l'aide d'urgence aux populations victimes de la guerre ou de la sécheresse. Le reste constitue une aide institutionnelle distribuée automatiquement dans le cadre de procédures pluri-annuelles. Elle permet aux Etats-Unis et à l'Union européenne d'écouler des excédents dont le stockage est coûteux, mais représente une concurrence déloyale pour les agriculteurs du Sud.

Au total, l'aide publique au développement bilatérale et multilatérale a représenté 72,3 milliards de dollars en 1992. Il faut y ajouter celle des 5 000 ONG (organisations non gouvernementales) de l'hémisphère Nord qui représente 10 % de l'aide publique au développement. La gestion de l'aide est extrêmement coûteuse. Les 75 000 à 100 000 experts étrangers envoyés chaque année dans les pays en développement coûtent environ 10 milliards de dollars, soit 15% du total de l'aide.

Quels qu'en soient les défauts, l'aide au développement est nécessaire pour de nombreux pays, particulièrement les plus pauvres, d'où leur inquiétude sur son éventuelle réduction. En effet, la crise frappe les pays donateurs et le risque existe de les voir s'intéresser davantage à leurs propres pauvres qu'à la misère du Tiers Monde. De plus, pour des raisons politiques évidentes, la Banque Mondiale estime nécessaire d'apporter une aide accrue aux pays de l'ex-URSS. Le nombre des pays qui ont besoin d'une aide au développement augmente donc alors que les donateurs se montrent de plus en plus réticents.

3. Les mouvements migratoires

La pression migratoire, selon certains observateurs, risque d'être un problème majeur du XXIe siècle. La première raison de ces migrations tient à l'instabilité politique et aux conflits. Les réfugiés politiques sont en moyenne de 10 % plus nombreux que les immigrés pour raison économique. Il y a eu, en

Les vingt principaux bénéficaires de l'aide publique au développement en 1990

Pays	Montant total de l'APD (millions de dollars)	APD en % du PNB
Egypte	5 584	17,2
Bangladesh	2 081	10,5
Chine	2 064	0,5
Indonésie	1 717	2,0
Inde	1 550	0,5
Philippines	1 266	3,0
Turquie	1 259	1,7
Tanzanie	1 155	37,5
Pakistan	1 108	2,8
Kenya	989	11,3
Maroc	965	4,4
Mozambique	923	77,4
Jordanie	884	16,7
Ethiopie	871	14,6
Zaïre	816	9,2
Thaïlande	787	1,2
Soudan	768	9,5
Sénégal	724	15,4
Côte d'Ivoire	674	7,2
Sri Lanka	659	9,1
Sous-total (61 % du montant total de l'APD)	26 844	2,4

(Source : Rapport mondial sur le développement humain, PNUD, 1992)

1991, d'après le Comité des Etats-Unis pour les réfugiés, 17 millions de réfugiés et demandeurs d'asile dans le monde, auxquels il faut ajouter 1,2 à 1,5 millions de personnes déplacées. Seuls 5 % d'entre eux sont arrivés dans le Nord, les autres trouvant accueil dans des pays en développement. Dans les années 80, 6 millions d'Afghans ont fui leur pays en guerre vers le Pakistan et l'Iran. La famine et la guerre ont chassé des centaines de milliers de personnes de la Corne de l'Afrique vers les pays voisins. Les pays qui les accueillent sont souvent des pays très pauvres. Ainsi, le Zaïre exsangue comptait, en 1991, près de 500 000 réfugiés originaires surtout d'Angola et de la Guinée et 550 000 réfugiés du Liberia. Depuis sont venus s'ajouter les réfugiés du Rwanda.

En dehors des conflits ethniques et idéologiques, ce sont les inégalités de développement qui expliquent les migrations. La pression démographique, conjuguée à l'aggravation de la pauvreté en raison de la dette et des déséquilibres économiques et commerciaux, pousse au départ les habitants les plus jeunes et les plus entreprenants de nombreux pays en développement. Ce sont les Etats-Unis, l'Europe industrialisée, le Japon et les « quatre dragons » d'Asie qui les attirent[8].

Jusqu'à la guerre du Golfe, les pays du Moyen Orient ont aussi attiré des immigrants venus principalement d'Egypte et des autres pays arabes, du Pakistan et du Sri Lanka. En 1985, ces immigrés représentaient 70 % de la population active dans les Etats membres du Conseil de coopération du Golfe. La guerre du Golfe en a chassé 2 millions sur les 7,2 millions qui s'y trouvaient.

De nombreuses études ont tenté de cerner les conséquences de ces migrations pour les pays de départ. On pourrait penser qu'elles permettent de réduire le chômage puisque ce

---

8. Voir l'ouvrage de P. BERNARD, *L'Immigration*, collection Le Monde Poche, Le Monde Editions-Marabout, 1993.

Emigration économique internationale des pays en développement

Pays hôtes	Millions			En % de tous les émigrants		
	1960-69	1970-79	1980-89	1960-69	1970-79	1980-89
Etats-Unis	1,6	3,3	5,5	50	76	87
Allemagne	1,5	2,8	2,6	23	40	48
Royaume-Uni	–	1,1	1,1	–	55	52
Canada	0,2	0,7	0,8	18	48	66
Australie	0,1	0,3	0,5	9	27	47
Suède	–	0,1	0,2	6	17	40

(Source : Rapport mondial sur le développement humain, PNUD, 1992)

sont surtout des citadins qui partent et que le taux de chômage est élevé dans de nombreuses villes du Tiers Monde. En effet, les citadins émigrent plus facilement que les ruraux car les bureaux d'embauche et les lieux où l'on peut se procurer passeports et visas sont en ville. Toutefois, les flux d'immigration ne concernent que 0,4 % de la population active totale. Ils n'ont donc qu'un impact limité sur le chômage, d'autant plus qu'un actif qui part ne laisse pas forcément un emploi pour un chômeur. Tout dépend de leurs compétences respectives. L'Inde et le Pakistan, qui comptent un nombre excédentaire de travailleurs qualifiés, y trouvent un allégement du chômage. En effet, les systèmes d'enseignement de nombreux pays du Tiers Monde forment un nombre excessif de diplômés de haut niveau par rapport aux possibilités économiques existantes. En revanche, de nombreux autres pays ont subi de graves pertes de main-d'œuvre. Chaque année, les pays en développement perdent des milliers de spécialistes, ingénieurs, médecins, scientifiques... Frustrés par le niveau des salaires et des possibilités limitées de leur pays d'origine, ils émigrent vers des pays riches où leurs compétences peuvent être mieux rémunérées. Au cours de la seule année 1978, le Soudan a perdu 17 % de ses médecins et dentistes, 20 % de ses enseignants universitaires, 30 % de ses ingénieurs et 45 % de ses géomètres. L'ensemble de l'Afrique a perdu entre 1985 et 1990, d'après le rapport mondial sur le développement humain de 1992, 60 000 cadres dont elle a assumé le coût de la formation. De ce fait, elle doit de plus en plus faire appel à des experts étrangers (30 000 en 1991) fort coûteux.

En revanche, les émigrés peuvent apporter des contributions importantes à leur pays d'origine par les envois de fonds qu'ils y effectuent. Bien que ces envois de fonds ne représentent en moyenne que 5 % du PIB des pays du Tiers Monde, ils sont susceptibles d'améliorer significativement la position en devises de ces pays. Tout au long des années 80, ils ont

Envoi des fonds des travailleurs (1989)

Pays	Envois (Md $ U.S.)	En % du PNB	En % des exportations	En % des importations
Yougoslavie	6,3	8,8	47	43
Egypte	4,3	13,1	166	57
Portugal	3,4	7,5	26	18
Turquie	3,0	4,1	26	19
Inde	2,7	0,9	17	14
Pakistan	1,9	4,7	41	27
Maroc	1,3	6,0	40	24
Bangladesh	0,8	3,9	59	22
Jordanie	0,6	10,6	61	27
Tunisie	0,5	4,8	16	11
Colombie	0,5	1,2	8	9
Philippines	0,4	0,8	5	3

(Source : Rapport mondial sur le développement humain, PNUD, 1992)

représenté la principale source de devises étrangères pour l'Egypte et le Pakistan, et encore ne s'agit-il que des transferts officiels. Les fonds transitent souvent clandestinement, soit en raison de la situation illégale des immigrés, soit parce que le taux de change au marché noir est très supérieur au taux officiel. Aux Philippines, en 1985, on estime à un tiers du total le montant des transferts non enregistrés par la Banque Centrale. En général, ces fonds servent à l'achat de produits de première nécessité (alimentation, habillement, produits médicaux) et de logements, qui ont pour effet d'accroître la demande et de stimuler l'économie locale. Une étude effectuée en Egypte a révélé que l'envoi de 1 million de livres égyptiennes a produit une augmentation de 2,2 millions de livres de PNB. Des études similaires au Pakistan ont montré un effet multiplicateur de 2,4. Ces fonds servent aussi, particulièrement en Asie du Sud-Est, à financer l'éducation des membres de la famille du migrant. En revanche, ces fonds servent très peu à des investissements productifs. Même si un certain nombre de migrants rêvent de créer une entreprise lors de leur retour au pays, une infime minorité réussit à accumuler suffisamment de capitaux pour réaliser ce rêve.

On peut penser que, si aucune perspective d'amélioration de la situation économique des pays pauvres ne se dessine, leur population se déplacera inévitablement vers des pays où elle espère pouvoir vivre mieux. La main-d'œuvre des pays en développement augmente de 38 millions de personnes par an, qui viennent grossir les rangs des 700 millions de chômeurs et de travailleurs sous-employés. Il faudrait, d'ici l'an 2000, créer un milliard d'emplois. La pression migratoire sera donc très forte. Les efforts des pays du Nord qui, en raison de la crise, tentent d'opposer des frontières de plus en plus étanches à cette poussée migratoire, sont peu couronnés de succès. Ils tentent d'imposer aux candidats à l'immigration des niveaux de qualification de plus en plus élevés (telle la loi sur l'immigration de 1990 aux Etats-Unis), et accordent la priorité aux immigrants qui apportent des capitaux. C'est ainsi que de nombreux riches entrepreneurs de Hong Kong, inquiets de la reprise prochaine de la colonie par la Chine ont pu acquérir la nationalité canadienne. La question des migrations risque donc d'être une question cruciale dans les années à venir.

Entretien

Susan George

Directeur associé du Transnational Institute, à Amsterdam, Susan George est l'auteur de *Comment meurt l'autre moitié du monde*, paru chez R.Laffont, Paris 1978, de *Jusqu'au cou* (La Découverte, Paris,1988) et de *L'effet boomerang* (La Découverte, Paris, 1991).

– La croissance de la dette du Tiers Monde s'est ralentie depuis le début des années 90. Peut-on en conclure qu'il s'agit d'un problème résolu ?

Il y a certes un ralentissement, mais la dette a tout de même augmenté des deux tiers pour l'ensemble des pays endettés depuis dix ans. Pour l'Afrique subsaharienne et les PMA, l'augmentation dépasse 120 %. Le fardeau est encore insupportable. Les Africains ont dû dégager dix milliards de dollars par an depuis dix ans et c'est autant qui n' a pas été investi pour satisfaire des nécessités de base. Les élites de ces pays ont réussi à mettre sur les épaules de leurs compatriotes moins aisés le fardeau du remboursement et on en parle moins ! Elles ont profité de l'argent emprunté au travers de la corruption, et de placements à l'étranger que les dévaluations recommandées par le FMI valorisent. Elles ont décidé des achats d'armements, des projets de prestige critiqués aujourd'hui. Mais quand vient le moment de l'ardoise, ce sont les plus pauvres qui paient car ce sont eux qui souffrent des politiques d'ajustement structurel. Les salaires réels ont baissé de 30 à 90 %. Les services publics se dégradent ou disparaissent. Les élites qui peuvent se payer des services privés n'en souffrent guère, au contraire, car les ouvriers et les domestiques deviennent moins chers. En ce qui concerne les banques, le Sud n'est plus un problème pour elles car elles ont pu diluer leur portefeuille de sorte que la dette du Sud ne pèse plus trop sur leur bilan. Quant au FMI et à la Banque Mondiale, leurs statuts précisent qu'ils ne peuvent annuler ni diminuer les dettes qui leurs sont dues. Ils ont augmenté leurs prêts destinés non à des projets de développement mais à favoriser le remboursement des banques. Et les débiteurs sont obligés de faire face à leurs engagements s'ils veulent bénéficier d'aides nouvelles. De plus, s'ils n'obéissent pas aux recommandations de la Banque Mondiale, ils ont aussi des difficultés pour accéder à l'aide bilatérale. La Banque et le FMI sont au centre d'une toile qui enserre ces pays.

– Quel jugement peut-on porter sur les politiques menées pour réduire la dette, en particulier les plans d'ajustement structurel du FMI et de la Banque Mondiale ?

Il faut d'abord souligner la responsabilité de la Banque Mondiale dans la crise de la dette. Personne n'avait dit à ces pays qu'ils s'endettaient trop. Quelques semaines avant la crise de la dette, en 1982, la Banque Mondiale estimait que les banques privées continueraient à mettre à la disposition des pays en développement entre 55 et 90 milliards de dollars par an .

Pour elle, la réduction de la dette passe par une politique d'ajustement structurel. Il s'agit, pour les pays emprunteurs, de gagner plus en donnant la priorité aux exportations, et de dépenser moins grâce à une politique d'austérité. Grâce à l'assainissement ainsi réalisé, les investissements étrangers privés devraient affluer, récompensant les efforts accomplis. Or, ce n'est pas le cas, car le FMI et la Banque Mondiale travaillent avec un paradigme périmé : celui des bas salaires. Les firmes transnationales cherchent plutôt une main-d'œuvre qualifiée, technologiquement au point, capable de changer de production rapidement. L'investissement étranger se concentre sur une dizaine de pays. L'Afrique, loin des fournisseurs, des centres du commerce et des centres de formation, connaît plutôt le désinvestissement.

Quant au bilan des mesures préconisées dans le cadre des politiques d'ajustement structurel, il est aussi très discutable. Il y a certes eu une réduction de l'inflation en Amérique latine, mais le taux d'inflation au Brésil reste encore très élevé. On peut aussi se demander s'il fallait intégrer ces pays au marché mondial comme cela a été fait. Le prix des matières premières n'a jamais été aussi bas au grand bénéfice des firmes du Nord. Il n'y a aucune vue globale du monde dans ces politiques. On dit au Kenya de produire du thé, sans se demander quelles en seront les conséquences au Sri-Lanka. Je ne vois pas l'intérêt qu'ont ces pays à se battre entre eux. Très souvent, avec les politiques d'ajustement structurel, les gens de la Banque Mondiale décident que telle ou telle industrie n'est pas compétitive au plan mondial et qu'il faut l'abandonner. Ce faisant, elle ne tient compte ni du stade d'industrialisation où se trouve le pays, ni du processus d'apprentissage. Tout couper à l'aune du marché mondial nuit aux industries locales. De plus, les programmes de privatisation se sont souvent faits à l'avantage des firmes multinationales. Les Compagnies de téléphone d'Argentine ont ainsi été reprises par quatre grandes compagnies privées qui ont racheté des créances à bon marché et ont mis très peu d'argent frais dans l'opération. Le bilan des privatisations est probablement positif si l'on ne regarde que la rentabilité de l'entreprise, mais le jugement est différent si l'on observe que la privatisation s'est soldée par de nombreux licenciements de salariés qui n'ont pu retrouver de travail et sont venus gonfler les rangs des chômeurs.

Ce que je regrette, c'est que ces pays n'aient pas eu le choix de faire plus avec leurs propres ressources. Les recettes proposées par la Banque Mondiale sont toujours les mêmes. La spécificité d'une économie, le génie de son peuple ne sont pas utilisés. La Banque Mondiale propose souvent l'exemple de la Corée du Sud, de la Malaisie et de Taïwan. Pourtant l'intervention de l'Etat y a été forte à l'inverse du modèle préconisé par la Banque. Le libéralisme dans ces pays a été très contrôlé : réglementation des prix agricoles, mesures protectionnistes. La Banque oublie en outre de rappeler que ces pays ont bénéficié d'une forte aide américaine et des retombées de la guerre du Viêt-Nam. La Corée du Sud a su tirer parti des prêts qu'elle a reçus. Dans d'autres pays, les prêts ont été gaspillés en dépenses militaires ou de prestige, ont alimenté la fuite des capitaux. Il n'est donc pas étonnant qu'ils n'arrivent pas à rembourser quand les échéances arrivent.

— *La Banque Mondiale semble depuis peu se préoccuper de la persistance de la pauvreté. S'agit-il d'un virage important ? Quelles en sont les raisons ?*

La Banque Mondiale estime que le bilan des politiques d'ajustement structurel est dans l'ensemble positif. L'OCDE est beaucoup plus nuancée. Et un auteur un peu progressiste dirait que les résultats en sont médiocres. L'ajustement structurel a abouti à une augmentation de la polarisation sociale. Les pauvres se sont appauvris et tout le monde le reconnaît. Aussi la Banque met-elle en avant un autre slogan : il faut rechercher « une réduction durable de la pauvreté ». Quant aux raisons de ce revirement, elles sont nombreuses. On peut penser que le changement d'administration avec l'élection d'un démocrate, Bill Clinton, après plus d'une décennie d'administration républicaine, joue un rôle. Il y a aussi l'influence des organisations de protection de l'environnement qui s'inquiètent de sa dégradation dans le Tiers Monde et qui ont des tactiques de *lobbying* efficaces. En outre, le monétarisme apparaît de plus en plus comme une caricature. Même aux Etats-Unis, l'écart entre riches et pauvres s'est creusé. Les 10 % de la population les plus pauvres ont vu diminuer de 15 % leur part du revenu national, tandis que le 1 % le plus riche a vu la sienne augmenter de 50 %. La hausse de la criminalité liée à la pauvreté inquiète et le monétarisme pur et dur ne trouve plus guère de défenseurs. Mais l'échec de la stratégie d'ajustement structurel n'est pas encore clairement reconnu par la Banque Mondiale.

Chronologie

■

1945

• Fondation de l'ONU. Les Etats-membres s'engagent à assurer la paix du monde par des recommandations, des sanctions politiques ou économiques, ou l'engagement des forces armées mises à leur disposition par les membres. Ils s'engagent aussi à ne pas intervenir dans les affaires intérieures des Etats.
• Création du FMI et de la Banque Mondiale.

1947

• Indépendance de l'Inde et du Pakistan.

1949

• Indépendance de l'Indonésie dont le président est Soekarno.
• Proclamation de la République populaire de Chine par le président Mao Zedong.

1954

• Accords de Genève marquant la fin de la guerre d'Indochine. Indépendance du Viêt-Nam, du Laos et du Cambodge.

• Début de l'insurrection algérienne.
• Prise du pouvoir par le colonel Nasser en Egypte

1955

• Conférence de Bandung. Vingt-neuf pays afro-asiatiques condamnent le colonialisme, la discrimination raciale et les armes atomiques.

1956-1964

• Indépendance de la plupart des anciennes colonies belges, françaises et britanniques.

1957

• Indépendance du Ghana, premier Etat d'Afrique Noire indépendant. Le Premier ministre Nkrumah est un partisan du neutralisme actif et d'une politique panafricaine.

1959

• Entrée de Fidel Castro à La Havane (Cuba), après trois ans de guerilla.

1960

• Fondation de l'OPEP (Organisation des pays exportateurs de pétrole).

1962

• Accords d'Evian, établissant l'indépendance de l'Algérie.

1963

• Création de l'OUA (Organisation de l'unité africaine).

1967

• Che Guevara, compagnon de Fidel Castro, qui tentait de faire naître des foyers de guerilla dans toute l'Amérique latine, est capturé et exécuté en Bolivie.

1973

• Accords de Paris qui marquent la fin de la guerre du Viêt-Nam. Les Américains, intervenus depuis 1964, quittent le pays.
• S. Allende, président du Chili, est tué dans l'assaut du palais présidentiel. C'est la fin de « l'Unité populaire », qui avait tenté de réaliser des réformes socialistes. Début de la dictature militaire du général Pinochet.
• Premier « choc pétrolier ». L'OPAEP (Organisation des pays arabes exportateurs de pétrole) décide un embargo à l'encontre des Etats-Unis et des pays accusés de soutenir Israël. L'OPEP décide de doubler le prix du pétrole.

1975

• Phom-Penh tombe aux mains des Khmers Rouges. Début d'une dictature sanglante au Cambodge.

1975-1989

• Guerre du Liban.

1975-1991

• Conflit en Angola entre le gouvernement légal et l'Unita (Union pour l'indépendance totale de l'Angola). Après seize mois d'interruption, le conflit a repris en 1992, laissant le pays exsangue.

1979

• Second « choc pétrolier » : l'OPEP décide une forte augmentation du prix du pétrole.
• Retour des politiques libérales : les taux d'intérêt s'envolent sur les places financières.
• Intervention soviétique en Afghanistan.
• Le shah d'Iran est chassé du pouvoir. Il est remplacé par l'imam Khomeiny. L'Iran devient une république islamiste.

1980-1990

• Guerre Iran-Irak.

1981

• Sommet de Cancun (Mexique) : vingt-deux chefs d'Etats occidentaux et du Tiers Monde décident d'ouvrir, au sein des Nations unies, des négociations globales pour un nouvel ordre économique mondial.

1982

• Début de la « crise de la dette ». Le Mexique, puis le Brésil déclarent ne plus pouvoir faire face à leurs engagements.

1984

• Indira Gandhi, Premier ministre de l'Inde est assassinée par deux Sikhs de sa garde. Cet assassinat illustre les conflits religieux et ethniques incessants en Inde.

1986

• Chute du dictateur F. Marcos aux Philippines. Arrivée au pouvoir de Corazon Aquino. Elle se veut « une alternative morale au régime d'un homme qui pense que tout s'achète et qui n'hésite pas à assassiner si l'on ne se soumet pas ».

1988

• Violentes émeutes en Algérie qui marquent la montée en puissance du FIS (Front islamique du salut).

1989

• Retour de la démocratie au Chili, après seize ans de dictature militaire du général Pinochet. Le Chili rejoint ainsi l'Argentine qui a renoué avec la démocratie en 1983, après huit ans de dictature militaire.
• Plan Brady qui propose des solutions à « la crise de la dette ».
• Chute du mur de Berlin et début de l'effondrement du bloc socialiste.
• Début de l'évacuation des troupes soviétiques d'Afghanistan.

1990

• Au Nicaragua, le régime sandiniste, qui avait renversé la dictature de Somoza en 1980, est vaincu aux élections. Soutenu par l'URSS et les pays de l'Est, le régime sandiniste était devenu impopulaire en raison de sa mauvaise gestion économique et de l'étranglement du pays par l'embargo commercial américain. C'est la première fois qu'un régime issu de la guerilla accepte de céder le pouvoir à un gouvernement élu démocratiquement.

• Abolition de l'apartheid en Afrique du Sud.

• Les troupes irakiennes envahissent le Koweït. En février 1991, après les bombardements des Américains et de leurs alliés, le Koweit est libéré, et l'Irak accepte de se conformer aux résolutions de l'ONU.

1991

• Coup d'Etat militaire en Haïti qui renverse le président J.-B. Aristide. La communauté internationale prend des sanctions économiques contre le nouveau gouvernement. L'activité économique est paralysée et la misère s'accroît dans un pays qui est déjà l'un des plus pauvres du monde.

• Renversement de la dictature de Syad Barré en Somalie. L'affrontement de clans rivaux ouvre une période de troubles et de famines.

1992

• Arrêt du processus démocratique en Algérie.

• Signature de l'ALENA, traité de libre-échange reliant les Etats-Unis, le Canada et le Mexique.

1993

• Reconnaissance mutuelle entre Israël et l'OLP (Organisation de libération de la Palestine).

1994

• Massacres au Rwanda.
• Traité instituant l'UEMOA, Union économique et monétaire ouest-africaine regroupant sept pays de la zone franc (Bénin, Burkina, Côte-d'Ivoire, Mali, Niger, Sénégal, Soudan).
• Conférence internationale sur la population et le développement, sous l'égide des Nations unies. Elle se réunit au Caire.
• Soulèvement des Indiens du Chiapas au Mexique.
• Dévaluation du franc CFA.

1995

• Entrée en vigueur du MERCOSUR, marché commun entre le Brésil, l'Argentine, le Paraguay et l'Uruguay.
• Fortes dévaluations du peso mexicain.
• Le Viêt-Nam est admis au sein de l'ASEAN (Association des Nations d'Asie du Sud-Est).
• Signature par Israël et l'OLP des accords sur l'extension de l'autonomie palestinienne en Cisjordanie.
• Election du président Liamine Zeroual en Algérie.
• Signature d'un accord de paix après cinq ans de guerre civile au Liberia.

Bibliographie

■

S. Bessis, *La faim dans le monde*, La Découverte, Paris, 1991.

S. Brunet, « Tiers Mondes », in *Economica*, Paris, 1987.

A. Cazorla, A.-M. Drai, *Sous-développement et Tiers Monde*, Vuibert, Paris, 1992.

J. Chesneaux, *Modernité-monde*, La Découverte, Paris, 1989.

T. Coutrot, M. Husson, *Les destins du Tiers Monde*, Nathan, Paris, 1993.

M. Chauvin, *Tiers Monde, la fin des idées reçues*, Syros Alternatives, Paris, 1991.

R. Dumont, *Démocratie pour l'Afrique*, Le Seuil, Paris, 1991.

S. George, *L'effet boomerang*, La Découverte, Paris, 1991.

Y. Lacoste, *Unité et diversité du Tiers Monde*, F. Maspéro, Paris, 1980.

S. Latouche, *L'occidentalisation du monde*, La Découverte, Paris, 1989.

C. Oman, G. Wignajara, *L'évolution de la pensée économique sur le développement depuis 1945*, Centre de développement de l'OCDE, Paris, 1991.

H. Rouillé d'Orfeuil, *Le Tiers Monde*, La Découverte, Paris, 1991.

A. Zantman, *Le Tiers Monde*, Hatier, Paris, 1987 ; *L'Etat du Tiers Monde*, La Découverte, 1989.

Rapports annuels

« Rapport sur le développement dans le monde », Banque Mondiale.

« Rapport mondial sur le développement humain », Programme des Nations unies pour le développement.

« Rapport de la FAO » (Organisation pour l'agriculture et l'alimentation).

« Rapport de l'UNICEF » (Fonds des Nations unies pour l'enfance).

Index

·

Au catalogue
Marabout

■

OLIVIER MAZEL

Les chômages

Chômage d'hier, chômage d'aujourd'hui
Une irrésistible ascension
Inégalités et diversité
Indemnisation et exclusion
Unemployed, desocupado, bezrabotnik
Quels milliards pour l'emploi ?

FRANÇOIS CHATAGNER

La protection sociale

Une histoire mouvementée
Une mosaïque de régimes
Les raisons de la dérive
Les leçons de l'étranger
Comment financer ?

VÉRONIQUE BOISDON

Les métiers
de l'environnement

Protéger et gérer la nature
Comment s'orienter
dans le dédale des filières
De bac + 2 aux écoles d'ingénieurs
Le marché de l'emploi
Carrières et salaires

BÉNÉDICTE HAQUIN

Les métiers
de la communication

Presse, publicité et entreprise
Ecoles de journalisme et universités
Marché de l'emploi et salaires
Etudes à l'étranger
Adresses et programmes

Le Monde

DOSSIERS
& DOCUMENTS

Enseignants, étudiants, lycéens abonnez-vous

1 AN – 128 F*

Oui, je m'abonne au *Monde dossiers et documents* pour un an (11 numéros) au tarif de 128 F seulement

Nom .... Prénom ....

Adresse ....

Code postal .... Localité ....

* offre valable pour la France uniquement   601DD003

Bulletin et règlement a envoyer a : *Le Monde dossiers et documents* - Service abonnements
24, avenue du Général Leclerc, 60646 Chantilly Cedex

IMPRIMÉ EN FRANCE PAR BRODARD ET TAUPIN
1130R-5 - Usine de La Flèche (Sarthe), le 22-11-1996.

pour le compte des
Nouvelles Éditions Marabout
D.L. novembre 1996/0099/349
ISBN : 2-501-02806-6